SanTana's
Fairy Tales

WRITTEN BY
SARAH RAFAEL GARCÍA

TRANSLATIONS BY
JULIETA CORPUS

Printed in the United States of America
First Printing, 2017
Cover Art: Carla Zarate
Illustrations: Carla Zarate
Book Design: Sixto-Juan Zavala
Cover Design: Carla Zarate

ISBN: 978-0-692-86030-4

For more information:
Raspa Magazine
P.O. Box 301934
Austin, TX 78703

wwww.raspamagazine.com

TABLE OF CONTENTS

FAIRY TALES FOR TRUST AND JUSTICE

SanTana's Fairy Tales battles the legends and myths of the city's dominating White narrative and recognizes the often-ignored Raza. Fairy tales reflect the time, place, and situation of when they're recorded, and Garcia infuses hers with the people and places from Santa Ana's history: Modesta Avila, the county's first felon and Billy Spurgeon, the city's founder; Delhi Park, the liquor store on McFadden, Newhope Library, Civic Center, Chepa's Park in Logan, Lathrop Intermediate School, Alva's Dulcería, and more. Garcia's fairy tales have traditional magical aspects, such as inanimate objects talking, ghosts wandering, and people disappearing. She presents ordinary folks and villains who narrate and slip in and out of the tales. Garcia is a time-travelling witness amplifying—cuz I don't think she'd say she's the first—a vital testimonio, and from the pain threaded through the stories, she's a weary war correspondent hoping this plea will be the community's last.

In their fairy tale, Hector and Graciela's parents have The Talk with their kids. For many African American youth, The Talk is what to do when you're stopped by a police officer. Garcia reminds everyone that for many Latino youth, there is a second talk their parents need to have with them (whether they know it or not and many do not): what to do if you come home from school and discover your parents have been deported even though all they "ever wanted was a better life. 'Un puñito de alegría.'"

You may have already read about Zoraida. Or seen the photos and videos of this Santa Ana homegirl, vibrant student, and LGBT activist posing with family and friends when the media announced the murder of *another* transwoman killed by a man who had sex with her first. Garcia translates the beautiful spirit of the earthly Zoraida into a "Godmother" who learns how to heal from her mother and offers healing or death to other transwomen.

The pain and hardship chronicled in these fairy tales may leave the reader despondent. Señor Billy Spurgeon claims, "I founded this city back in 1869...changes happen, and everyone has to get along with them, if they don't like it, they can move" and "thanks to my changes, us green-gos...became the majority...get used to it kid." As the guy in the White House might tweet: Harsh. Sad.

But if we listen closely like Mr. Harry who heard the gente in the downtown murals, "they keep reminding me...they too have a place here, and in our history," Garcia's fairy tales urge us not to bury our heads in despair but to remember. No matter where we're from since the same forces are at work, remember how we were. Remember who we are. Remember who and what we care for. Remember how bad it can be. Remember our ugly parts. Remember our beauty, our strength. Remember why we're here and what we hope to leave behind. Remember it can get worse if we don't stop it. And resist. Or *continue* to resist.

We must steel ourselves just as Modesta Avila who protested a railroad's paltry payment for land in the 1800s. Garcia uses "the lime-green parrots that begin and end the days" who flock through the fairy tales to deliver her message, "Rrrise, rrrise, rrrise, rrrise!"

Like "La Chicana" in "The Wishing Well" who seems to be a bit loca as she witnesses injustice after injustice, Garcia doesn't know if we'll act to right the wrongs of today. Today, in the "Golden City," Anaheim (Santa Ana's neighbor and home to "The Happiest Place on Earth" where Mamá from "Just a House" works and "she's never happy") and beyond, we are faced with real-life stories more absurd than the "brown ogre" who captures the U.S.-born children in "Hector and Graciela," throws the sister in a cage, enslaves the brother, and plans to repatriate them to Mexico until Hector tricks him into entering a cage and locks the door.

Garcia writes, "No need to believe in a wishing well if it no longer offers hope." Do we believe? Do we have hope? However we answer, what will we do before the "well is completely drained"? Before ICE snatches our loved ones? The beasts and devils hunting us don't have "pig snouts" or "horse hoofs instead of shoes and crab claws at the end of their arms." And they don't all wear uniforms and sometimes they wear suits. Garcia's fairy tales are mighty weapons for whatever comes next, and the beautiful, magical thing is there'll always be room for more.

Cathy Arellano,
author of Salvation on Mission Street, a memoir of a family's love and loss in San Francisco's Mission District

Sarah Rafael García

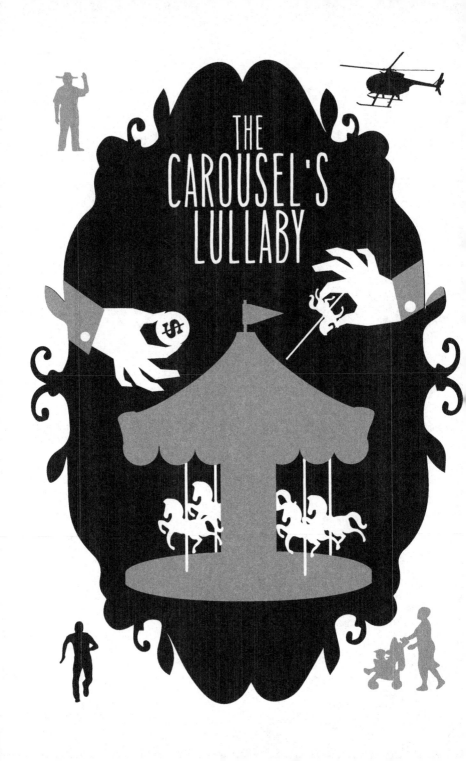

Back in the day there was a carousel that spun happiness round and round to the residents of our little city, and this carousel was more than an amusement attraction. Gente of all ages rode the metal horses decorated in turquoise, violet and gold. The gilded poles collected fingerprints from young and old alike. The orange and blue canopy provided shade while echoing laughter and shout outs to "¡Amá!" and "¡Apá!" Parents in return waved eagerly from the carousel's edge. Round and round the carousel went—the horses glistened on sunny days, inviting children to imagine a different place. A ride that stopped time with a carnival tune, a ride that always showcased the perfect Sunday afternoon. Some children rode alone, others with a mother or abuelo. Some teens climbed off and on the ride as if they danced to tombarazo playing from a low-rider car passing by. Bystanders watched the flapping flag at the top and twinkling lights underneath from afar, savoring their mangos with chile and limón in la plaza, occasionally pressing their lips to relieve the sting they craved.

Sarah Rafael García

Many years ago, that was the life of the carousel. I still remember when the change began for me. It was close to midnight and my sneakers waited just under the bedroom window. I knew I had to be quick to avoid waking Apá from his much, needed rest. I had to see if the ghost carousel existed for myself, I had to confront Señor Billy too. But I didn't manage to leave without waking my brother Daniel who was sleeping in the bunk below.

"Saul! Where are you going? Don't leave, you know what Apá says about being out after sunset."

"Daniel don't you want to know what happened to the carousel? Vas a ver, first the carousel and quinceañera shops, soon los fruteros, and one day it might be us!"

As soon as the words spat out of my mouth, I jumped out of the top bunk fully dressed and slipped on my shoes. Daniel kept shouting in a whisper but I ignored him and climbed out the bedroom window. He didn't join me. He was scared of what could happen, he had always been scared of our family getting deported and remaining alone.

Before the carousel was removed from Calle Cuatro our people made Fiesta Marketplace their gathering spot, a home outside of our pueblito. On Sundays families arrived in their church clothes, fathers in shined boots, mothers in floral dresses, young girls with long braids, young boys laughing so loud it was contagious. Storeowners stood outside greeting patrons with strong handshakes, asking about the day while a trail of green parrots squawked under the blue sky and the nearby bandstand hosted a trio playing a guitar, an accordion and guitarrón. And round and round the carousel kept going— just before sunset toddlers chased each other in circles and compadres dug through their weathered jean pockets for extra coins, hoping to afford that one last vuelta on the carousel. At times, you could see young sweethearts blushing as they turned a corner after receiving a stern look from a strolling neighbor. Most Sundays, you could hear new mothers gossip while rocking carriages forward and back, as if in sync with the carousel's melody, sometimes leaning over to sing their baby to sleep.

A la roro niño
A lo roro ya
Duérmete mi niño
Duérmete mi amor.

At first, we only knew our city under the facade of the carousel. It was our family's meeting point after we crossed. I walked across the border holding my tío's hand while our parents crawled through the hills with a Coyote. My brother Daniel was carried in our mother's belly, never being able to recall the harsh journey. When we reunited, I was riding a white horse with a violet saddle and reins. From the carousel, I spotted my father waving, his dusty clothes stood out amongst the other families. Next to him, my mother smiled ear to ear while tears rolled down her face—the carousel eventually became a Sunday tradition. All that my parents ever wanted was a better life. "Un puñito de alegría," is what Amá would say.

Years later, the carousel and the bandstand were replaced with a large tree and circle of benches, our little city of muchos Mexicanos made the headlines, as it often had before. But this time it wasn't a biased tragedy attracting everyone's attention like the headlines about *gang violence*, so some papers said. There was even a man in New York who wrote about the *continuous revival* of our little city. In 2011, most of the papers spoke highly of that gringo who threatens to banish us from our home. People said Señor Billy Spurgeon's pockets are filled with old, gold coins that he fondles with his fingertips before quinceañera stores vanish and policemen appear on horses.

They said he would wear a pointy white hat to sleep, if his kind actually slept. Those who had seen him said he's always adorned with a devilish grin to hypnotize our city's leaders and chase Calle Cuatro storeowners away. So naturally when they wrote about the new plan, Señor Billy Spurgeon gave his dos pesos to the papers, "This change will attract the *urban, younger* patrons, quinceañeras and fruit carts are a thing of the past. Instead of a carousel we will build an urban *Playground*!"

Back then we lived in a small house with our parents and our tío's family too. We shared a small room and still slept on the same bunk beds our tío had bought for us when we arrived to the Golden City. Our tío had been living in our little city for over a decade when he met up with our parents in Tijuana. Our parents hoped to have his life—our tío got his papers through amnesty in the 80s, promised them good work and a better life for us. But once all the changes started I became restless, losing sleep and too angry to focus on my last year in school. Soon after the real tragedy started. Young folks began to disappear from their beds, and our mothers began to weep a lullaby.

Este niño lindo
Que nació de mañana,
Quiere que lo lleven
A pasear en carcacha.

Our little city is plague-stricken with this viscous cycle. Our places and gente have been disappearing for over a century. No one would've noticed had sons and daughters not began to leave their homes in the middle of the night. They wouldn't have cared so much had their own teens not began to disappear. Some say the new bars and tattoo parlors on Calle Cuatro distracted us. Others say we lost our way home ever since they changed the name to *East End* and removed our treasured landmark. But without parents knowing, we had plans of our own. I was one of many youth who stood up to Señor Billy Spurgeon.

When I climbed out of my bedroom window, I ran away quickly to make sure Apá wouldn't see me in the dark, crossing through apartment alleys and jumping over lawns on Lacy Street. Once I made it to Calle Cuatro I stopped running, mainly because I didn't want to alarm the cops patrolling the area. Calle Cuatro has changed so much since I first arrived. The local Mexican food market is still there, but walking towards downtown anyone can see the changes just a few feet away. Some spots are well lit, while the quinceañera stores remain in the dark, some display their new hours on the front door, others announce a closing sale. The people walking on Calle Cuatro at night are not gente, just stumbling bodies cackling from afar like the local parrots do in the daytime. Plenty of bearded newcomers with tattoos, but not the kind of tattoos the vatos show off in Lopers' territory. Yet the bearded ones claim the *East End*, like the cholos claimed their corners off Pine Street. I'm not gonna lie, a part of me liked the new paint job on the old buildings and seeing La Cuatro busy at night. But I noticed how those people looked at me; the same way people look at Apá when he walks into a restaurant with his work clothes. But I couldn't allow myself to get distracted. It was five minutes until midnight—I didn't want to miss the ghost carousel, so I kept walking towards the Yost Theatre.

For decades, the carousel was part of our little city. When Señor Billy Spurgeon decided to change the area again, he had many supporters. Even the Mayor supported the *revitalization*, giving more feria to Señor Billy Spurgeon than our gente can ever save. Como dicen los gringos, he has the Mayor in his pocket or maybe he just jingled his gold coins again, meanwhile la gente keep chanting in the streets, *"¡La Cultura no se vende!"* But parents believed their niños went in search of the ghost carousel, longing to travel in time, longing for what existed in the past, or maybe we still desired the tangy and sweet treats Calle Cuatro used to offer.

Este niño lindo
Que nació de día
Quiere que lo lleven
A la dulcería

Once I reached the promenade, I could barely make out the Yost Theatre; it sat in complete darkness. I checked the time to confirm midnight was only seconds away. The tree and benches sat lonely on the Fiesta Market Place. Behind me I heard jingling, I looked in all directions but saw no one in sight. And just as I turned my head again to look towards the tree, the carousel appeared. It was translucent like fog and spun slowly in silence, floating above the sidewalk, creating a darker shadow beneath. Gente rode on the metallic horses like I remembered from my first carousel ride. Teenagers and viejitos rode in silence, their pasty faces with no emotion, some turned to look at me but would disappear as the carousel spun. I rubbed my eyes in disbelief. When I focused a second time I heard the jingling again, but this time it played along with a melody. I couldn't make out the carousel's song at the beginning, but I felt a comfort I hadn't felt in a long time. The carousel was now vivid in color and the tune seemed to be playing louder than ever. It all called to me, made my feet step forward, as if I was a schoolboy attracted to the blinking lights and carnival tune once again. The jingling pierced through, forcing me to keep walking. Before I knew it I was waiting in line to ride the carousel, standing behind the woman who used to stroll through parking lots selling tamales out of her car. When she turned to look at me I noticed her eyes, they were dark, all dark. The kind of eyes Amá said spirits had when they couldn't cross over because they died before their time.

Instantly, I flinched back, remembering where I was, and just like that the carousel disappeared. But that jingle sounded closer than ever before. I couldn't take it; I covered my ears and turned around to look once again. There stood an image of a man, he wore a dark suit and shiny buttons on his wrists. I couldn't make out his face. Slowly, he placed his left hand in his pocket. It was then I heard the jingle, jingle again.

"What is your name?" The man spoke.

"Um, I have to get home. I was just taking a short cut through the promenade." I responded quickly and backed up two steps. I didn't want to see his face, I was afraid his eyes would be dark too.

"Don't be scared, I just want to know what you think of the new promenade. Doesn't it look better now with all the changes?" He continued to speak as if he knew me, as if he knew what I was thinking.

"Excuse me? I'm sorry sir, I'm just passing through."

"Passing through? Weren't you just in line for a carousel ride? Haven't you been here since your parents crossed the border?"

"Who are you? Ha-how did you know that?"

"Saul, I know everyone in this city, this is my city. I founded this city back in 1869, way before you were ever here." He spoke without hesitation. He spoke as if he was Señor Billy. It was said Señor Billy Spurgeon couldn't keep his hands out of his pockets, nor his development plans away from Calle Cuatro. Jingle, jingle is all people heard upon passing him, jingle, jingle, when he spoke to business owners, and jingle, jingle went his gold coins when he whispered into the Mayor's ear. I should have known all along it was Señor Billy. I should have listen to Apá, the ghost carousel was part of the changes too.

Este niño
Que nació de noche
Quiere que lo lleven
A pasear en coche.

When I first thought about searching for the carousel, it never crossed my mind I would actually find it. I thought it was just something the old folks made up, como los cuentos de Mexico my abuelo used to tell me over the phone. But then Señor Billy appeared too. I was ready to turn around and run but I hesitated. All I could think of was about the ghost carousel and the tamale woman. So I turned back to face him. I had to ask him, I had to know why he was trying so hard to get rid of nuestra cultura, get rid of us.

"Hey sir, are you Señor Billy? You know the one who owns all these buildings?"

"Yes, that's me! Now you're catching on amee-go. See you have nothing to be scared of."

"But sir, I am scared. I'm scared for my parents. I-I'm scared for me."

"Saul, I've been in this city for a long time, changes happen, and everyone has to get along with them, if they don't like it, they can move. Back when I got here, there were 174 households of Mexicanos and Californios, and by 1870, thanks to my changes, us green-gos as you call us became the major-ity. So these changes are nothing new, get used to it kid."

He spoke so calmly it just made my throat dry and heat rose from my toes to my forehead. Yet he didn't even notice, he just kept explaining his plans.

"Don't you see The Yost Theater there in the dark—before

it was a place that played Spanish movies. Soon it will be a nightclub and concert place, soon it will be filled with lots of people who come to this city just to spend money. You'll see Saul, it will have flashing lights, draw in people from all over to play music. It will be the next big music venue in this area, doesn't it sound exciting?"

And with those words something just took over me, maybe it was the image of my parents' tired faces, maybe it was because I knew I would never be let in such a place without a real ID. I spat out words in Apá's angry tone.

"But not the music our gente listens to or can afford! Why do we have to move! Our gente arrive, establish homes and businesses and then get pushed out, over and over. Before the carousel was removed we ignored the coincidence. But we can't any more! And today they're hundreds, thousands of us, almost ten times more than you gringos. Señor Billy you can't keep us from returning to claim our Golden City, you can't keep us from sharing nuestra cultura. Just wait, we'll show you!"

I wasn't sure where all those words came from. I shouted and stood proud like Apá does when he watches Daniel and I play soccer games. But everything I said was true. Over the century our little city swelled like the Pacific Ocean, waves of gente have arrived—then we get pushed out. Señor Billy misuses his power to push our gente out until we vanish like the fireflies and bees. Spewing us out to the city limits, removing us from *El Centro*. Forcing us to migrate once again. Meanwhile our city's children roam the streets with their fists clenched and eyes outlined by dark shadows, refusing to sleep.

> *Este niño lindo*
> *Se quiere dormir,*
> *Y el pícaro sueño*
> *No quiere venir.*

Este niño lindo
Se quiere dormir,
Y el pícaro sueño
No quiere venir.

It wasn't just me who went missing that night or the nights thereafter. Others, who got stuck on this carousel after me, have told me that my disappearance struck my mother ill and weighed down my father's work boots enough to keep him from leaving the house again. It also angered Daniel and other youth from *El Centro* to protest on the streets. I've been riding this ghost carousel for so long. It's quite peaceful, as if time stopped just for me, but I can't let anyone stand in line.

Yet many other youth have gone in search for the ghost carousel too. All of us end up banished and uprooted, forced to enter this afterworld like scrap metal rotting in the city yard. Some ran away in time, others stayed to confront Señor Billy's dark magic, like I did. Jingle. Jingle. When I decided to run, it was too late. Señor Billy had his hands in both of his pockets— jingle, jingle is all I heard. It was so loud, everything spun fast, faster than any of the carousel rides. Jingle, jingle. A helicopter with a spotlight circled around in the sky, I confused the spinning police lights for the blinking carousel, and others after me did the same. I ran and ran, ended up in the city yard where the real carousel lay in shambles. Jingle, jingle. I only caught a glimpse of it before it all went dark and I never saw my family again. When I awoke, I found myself here, on the same white horse with violet saddle and reins from long ago. Here, talking to anyone who will listen before they get in line for a ride too.

When I disappeared, the newspaper headlines called me a gang member and said the carousel was supposed to attract people to shop. They said I had a gun in my pocket, fought back

and ran away, they said the carousel was
a failed investment. Jingle, jingle. They
said I wasn't from our little city but defi-
nitely from Mexico. He said the removal

of the carousel is to attract *urban, younger* customers to Fourth
Street, like those who frequent the nearby *Artists Village* and
possibly he also means people that are not like him.

Listen carefully. Do you hear the old, gold coins jingling?
I do.

Este niño lindo
Que nació de noche
Quiere que lo lleven
A pasear en coche.

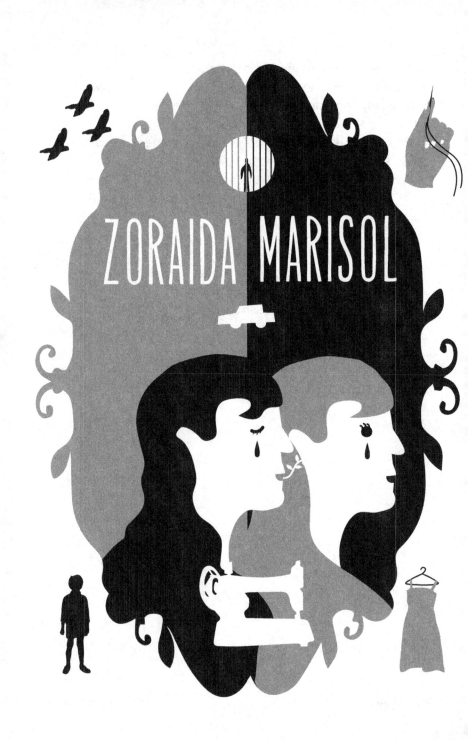

I am an enchanted woman named Zoraida.

But of course you already know my name. You knew me when I was alive.

In this life, I reign from far, far above the castles and queens. I travel by whispers, wishes upon the North Star and hushed weeps. Just like you called upon me in midst of bloody murmurs, wishing for death to ease the pain. Some call me death, others the Godmother of life.

In my last life I too thought it was my fate to die as a woman on a night like tonight. But death came just too soon, leaving me trapped between other's lives and my own.

I was an unfamiliar name in a city filled with dreamers. I was strong like the palm trees swaying in the Santa Ana winds and lyrical as the parrots living under the green, mama bird-like wings of the Pacific Coast palm trees. My legs, long and silky, danced to their own melody without any awkward stumbling or mispronounced schemes.

Fortunes—I had none.

My purse was of more value than the coins clinking in its deep corners and melancholy was my lover leading me into the bitter sea. Still, I lugged my stitched heart in weary arms—leaving it exposed to everyone I passed on the dark, twisted streets.

I was inspiring, so you kept saying when you spoke of me. But now, I appear in reflections, cupped hands and wishes.

For as long as I could remember, I wanted to twirl my long hair between china-red fingertips and blush when I cupped my breasts in front of the standing mirror. I wanted a man to caress my curves, from my hips to my puckered lips. But to most, my type of love was forbidden—cursed by society like the familiar tragedy of Romeo and Juliet.

Love—I thought I would find it.

But when my limp body was found, winded and pale as the ocean's spume, it cast a shadow over those close to my heart, leaving only the jagged sounds of shattered dreams and a person by another name—the name I was given at birth, not the real me.

Before I tell you what is to become of you, please keep breathing. As painful as it might be, I plead for you to keep breathing—at the end I will ask for your wish, I promise you that.

When I was at my last breath, I regretted believing someone would actually love me and wished for death. You think you prefer not feeling anything but the truth is your despair has summoned my presence—because we are the same. Like you, I too was first called a boy at birth. A boy who stared at other boys and envied the red ribbons the girls wore in their long wavy hair. It was a girl who helped me see who I really was.

"I like your eyelashes. You would make a pretty girl." She was ten like me, and wore an eyelet dress with matching socks.

"But I'm a boy." I was dressed in jeans and plain t-shirt my mother picked out for me.

"Those boys are mean to you. Do
you want to pretend to be a girl and play
with me?" I still remember her, she was
the first to accept me.

Before I could fully see beyond my
own skin and feel the moths flutter wildly
in my heart.

But really it could have been
anyone thereafter: my mother, my only
sister, my first lover—all paid me a compliment about my soft
skin, perfect lips and almond shaped eyes. It wasn't until many
years later my hair became my true beauty.

Back then my name was Gabriel. My mother said she
chose my name because I was her little angel. I wonder what
all their birth names were before I helped them die. I learned to
never ask. The names they give us do not affect who really are.

Here, let move your hair out of your eyes. Your curls are
such a pretty shade of caramel, perfect with your brown skin. It
saddens me to see it fading. Doesn't the lavender oil feel good
on your temples? I used to rub it on myself after a "bad" day. I
should've taught you more when I was alive.

My mother taught me about the healing powers of the
oils as a boy. I think my mother knew then it would be the only
thing she could pass on to me to heal myself. Lavender is for
balancing, soothing, normalizing, calming, relaxing, and healing.
Ginger for warming, strengthening, anchoring. And oregano
oil is invigorating, purifying and uplifting. But my favorite of
all is jasmine—it induces calmness, relaxation, sensuality, and
romance. My mother often reminded me of the healing pur-
poses of all the oils, even when I jerked away angrily at fifteen
because I told her she should've taught me to fight instead.

I added some jasmine on your wrists. You will be able to

smell it later, should you choose to live.

I remember the first time I was beaten by the neighbor-hood boys. They never liked me. They called me names my mother would never approve of, "Joto," "Faggot," and "Maricón." I never told my mother why they chased me down the alley. I just told her they were boys from another neighborhood. That's when my mother started chanting all the remedies. Often, on the day after applying oils on my face and limbs, my mother gave me a cup of ginger and arnica tea with breakfast. She also gave me a lemon lightly covered with honey, in case the tea left a bad taste in my mouth. Lemon is uplifting, refreshing, cheering. I say honey is just as sweet as a rose at your nose tip and solely to indulge. My mother would say it was anti-inflam-matory, to help with the bruises. Should you decide to get up, I left some honey and lemon on your table, all you have to do is boil water. I do hope you choose to get up but I will understand if you don't.

At nineteen, I ran into my mother's house blubbering tears. When she asked what happened. I spat the words out as if she had always known. I didn't try to ease her into my real identity or even try to confront her with it. She saw me in pain and did what came natural to her.

"Mijo, who hurt you? Come here, come here, let your mama hold you."

"Mama, it hurts so much."

"Where mijo, show me where. I will get my oils."

"No, don't go. Mama, he used me, he used me. He told me he loved me. And I just gave myself to him."

Instantly, my mother dropped her arms. I looked at her and called for her, "Mama?" She just stared at me without any words. I knew then it would be hard for her to understand. I knew then everything would be harder and I would have to learn to heal myself. And although my mother never asked me to leave her home, I felt it was necessary, out of respect. On my last day, she burnt sage around my body before I walked out the door. But I couldn't continue with the silence, it was like sucking on a lemon with cracked lips.

I'm sure you have a similar story. We all do. I don't ever assume mine is the worst. At the time I thought it was best we didn't share our pasts, but now I wish I could've told you more when I was alive. We all feel pain differently, some of us know how to heal ourselves, others don't know anything else but pain.

Look how they left you, how did you even make it into the apartment? And your beautiful dress, did they really have to rip it in three places? You are such a beautiful woman, skin softer than all I have ever felt.

I see the sewing machine in the corner, a new fabric hanging from the needle. You know, that's how I managed to pay for my own change.

I see myself now reduced to a skeleton in a hand stitched cloak. I have shed all the layers of flesh, skin and gender. You'll look like this when you're dead too. How trivial our differences become, between lives. In my last life, I did succeed in becoming a woman, the only part of me you knew. We are a lot alike. We both hungered to be accepted, I succumbed to the death of it. You want to stop the pain; I now regret wishing it away.

But I didn't know I was coming to heal you.

I only realized you were calling for death when I entered this apartment.

When I first moved out of my mother's home I found myself wandering through days in no particular direction. I lived in this same small apartment, making the living room my stage, such as you did too. The man who took me in was not a lover. Sometimes he would say he found me in his own reflection, like a walking mirror reassuring his presence; other times,

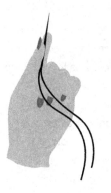

he'd say I found him, like an abandoned newborn fawn wobbles towards a horse for comfort. Once he claimed he saved me, without saying from what. But now I know, his guidance prolonged my life to be what I am now.

I remember very little of the first year out of my mother's home. But I do recall the sun rising after I left the apartment, sometimes several hours later. I knew I was on a path, something better than before, and possibly a change, though I can't remember ever contemplating these things on my way to the warehouse where I worked as a packmule. The man said there would be times when the sunrise would make me smile. Yet, since the day I met him I only showed him the face of an orphaned child. He was rarely home when I returned after night fell. But with time, things did change. My hair grew longer and longer. I kept it just passed my shoulders. On the days I remained home from work the man taught me to sew. While the man dressed himself before leaving for the night, he spent the time lecturing me about drag etiquette and giving a hands-on lesson on how to convert woman's clothing to compliment our bodies.

"Remember, inhale while you zip-up. Exhale when you tousle your hair. Scream when you need to, because we all need to scream when we do.

"Pat your lips before walking out the door. And shower yourself in the scent you wish to perspire.

"If anyone, and I mean anyone honey—man or woman— even looks at you with disgust, just blow them a kiss as you pass them by. Be who you are, walk tall and mighty like a queen."

He also gave me my first dress. He said he hoped it brought the same memories as it did him. I can't say it ever did.

The only clothes I had from the time before my change were the threads my mother provided, the plain white t-shirts she afforded with the labors of her healing. Instead of throwing them out, I used them for lining, to keep the one who taught me to heal close to me. I knew in her own way she showed me love.

The man was my strength, as I hoped to be yours. The man told me he had to let me walk on my own. He gave me his room, with a closet full of beautiful dresses, and colorful accessories. Caddy corner from the sewing machine sat a vanity mirror covered with make-up tips and inspirational quotes— words I heard him tell me time and time again but I was too tired to make them my own.

About a month after the man left, I began to use his things, tailored each piece to cling to my waist. It was in his absence that he taught me how to be a woman. I hoped to pass on my things to someone one day too.

It is odd how you called to me when I first crossed your path. You were the first to compliment my hair, "I like your hair, reminds my of an onyx stone. Is it real?" I laughed, put my arms around you, teased you about your little boy clothes and brought you home the same night. You were my lost child of the night. But of course you probably do not remember your first year either. Or maybe you remember everything, and I'm just a foolish lost soul.

I bet you thought you would never know what happened to me or why I left. I didn't mean to leave you like this. It was an honor to see you bloom. Unlike me, you listened to my words and teachings like a starving child licking your lips over breadcrumbs. I never gifted you a first dress because you made it when I was gone—in one day. You wore it before your hair grew out and your curves filled it in. You were the fawn born a doe. I never say I found you because I know you saved me from me. You gave me the courage to face my change and to own my new name.

Zoraida.

Marisol.

Like sisters. I was more like jasmine; you are more like ginger. We both healed each other.

Yet, it was I who fell for the wolf disguised in sheep's coat. My prince promised me an untold fairytale. I wanted to keep him all for myself. I never shared his name or the details of our prelude. I left before you came home. I left wearing a new dress, carrying my finest purse and wearing matching shoes. I hoped to be swept off my feet and carried away in his arms. He did just that.

My prince let me enjoy our shared meal and drink one glass of red wine. He offered me a ride home. The stars were out and my shoes were not made to walk the streets. How could I deny?

I prepared myself for the good night kiss. Pushed my hair behind each ear, dabbed my lips lightly on a tissue to avoid leaving him marked. I would thank my prince shyly while looking up to his eyes.

But before I could tell him where to turn, my prince drove in a different direction. When I joked about getting lost, he said he had been watching me from long ago.

"I saw you first at a bus stop. You applied red lipstick on your lips." He said the words while his black eyes turned to see me.

"Oh, it must have been a day I was running late." I responded and giggled while looking away.

"I watched how your hair grew, before it even passed your ears." This time, he spoke in almost a whisper, staring straight ahead.

"Oh, what do you mean? It has been this length for

months." My voice cracked and my body tensed up.

"I've been watching you, pretending, pretending, that's all you do!" His voice changed its tune, his brutish words echoed as if they bounced off each window in the car.

The car came to a stop and it wasn't at my home. I immediately went for the door. When I moved away from him, I felt a roughness around my neck. My hands didn't have the strength to reach the door or window. I tried to scream but the noose got tighter and tighter. My fingers burned from clasping the rope, trying to keep inhaling. I got very tired and let my eyes shut. When I awoke, I was tied at my ankles and wrists, laid in a small space. I was in the trunk of his car. I tasted metallic on the tip of my tongue and was undressed. Pain, pain, every-where—like ten beatings in one day. I could only close my eyes to dream of something better. I awoke to my prince opening the trunk to beat me more. He didn't speak, nor could I with the gag in my mouth. I could only wish, wish I would have never believed another could love me. I never awoke again.

A young woman found my body, behind a dumpster. I watched her walk out from the nearby building as I floated above my naked self. My scars under my breasts were practi-cally invisible and the ones between my legs were beginning to fade. I covered myself in lavender and tea tree oil every day—it was my daily ritual. The relief brought me happiness. I knew how to heal myself but I couldn't undo what my prince had done.

I passed the first months after death watching you. I hovered over you when you walked alone at night. I rubbed oils on you during your sleep. I wanted to heal the pain my absence caused. But when I read over your shoulder that they excluded my name, the name I chose for the real me, I wished I could live again. They erased me, replaced me with the helpless boy my mother raised. They convicted my prince for killing a man, even though I grew up to be a woman.

It was anger that forced me to listen. I heard the cries from others like me. Some cried to die, others prayed to live. I couldn't allow for them be alone in such desperation. I left your side to be with them. I applied oils and spoke comforting words as they whispered their wishes. Each time I arrived at a newly bruised body, I feared it might be you.

Today, my worst fear came true. But now I can truly be the wiser woman you need me to be. You have a choice Marisol, you can choose to die today or to live pass tomorrow, live to speak aloud our names. Give them a reason to speak yours in the present, let mine be a legend. You must choose between life and death. Only you can choose.

Tell me my dear sister, tell me what you desire, I will help with the pain. Inhale the sage I burn for you now, it will cleanse you of any doubts and give you strength to speak. Is it life or death you seek?

I will make whichever wish you choose come true.

When I entered kindergarten, we began our daily ritual. For five years every morning Mamá made breakfast and I made the bed. We lived in a one-bedroom house, really half a house because it was divided into two by a big wall. Lalo and Yesenia, who were expecting their first baby, lived in the other half.

I remember, peeking out of the window to see the broken tree limb hanging off our roof and the jade-like parrots announcing the morning as they still do. I saw Don Gustavo pushing his paleta cart towards downtown, sometimes he went in the morning to pick up more paletas for his afterschool route. I waved to him from the window. He didn't see me but that was the last time I saw him. Just then I heard the first morning train whistle too. Living by the train station meant the whistles were always sure to remind me that I was late. The third whistle in the morning meant I had to go to school, so I had to hurry. Just then Mamá called for me.

"Josefina, I need you to get dressed and go tell Doña

Carmen that I will have to work out of her house today."

I was annoyed for a moment. I knew what she meant by "work." Everyone in the neighborhood knew too. Mamá was a sobadora. Some of the school children called her a witch because she made them drink mint tea steeped with an avocado seed and stinky tree bark. They said it smelled like dirt, but to me it smelled like home. Sometimes, Mamá added honey to get kids to drink the entire cup. She also massaged their bellies and rubbed their bodies with an egg. The kids in my 4th grade teased me about it.

"I hate the bruja's medicine, are you a witch too Josie?"

"Josie is a witch! ¡Bruja!"

They wouldn't even give me a chance to answer, they'd just run off giggling and I remained alone on the playground. The 2nd graders and 1st graders just whispered and pointed at me from a distance. Sometimes I made a scary face to make them run away too.

In truth, I knew Mamá wasn't a witch. She was just a healer—a tradition she said was passed on by her abuela. Many neighbors brought their children to Mamá. Lalo and Yesenia said they planned to bring their new baby to her too. Doña Carmen was her most frequent patient but she didn't have any little children anymore. Mamá said Doña Carmen just had a lot of stress and she carried it in her belly. She also said it was just easier for gente to come to her rather than pay a real doctor. Plus why wouldn't they come to Mamá? She made them all better. Well, at least most of them.

At first, Mamá didn't like to accept money but she had to when the rent went up. Of course, not everyone could pay. She'd often say, "Los que no pueden pagar ahora, me pagaran en la otra vida." She truly believed there was going to be a next life for all of us, and that's where all who owed in this life will finally repay her.

And that was what she kept saying aloud, for as long as we lived in the half house.

But as the days got closer to us moving out from the half house, she began to speak to herself more often and on that day, the day with the fallen tree branch, was the first time I heard Doña Carmen speak to Modesta too.

"Ya se Modesta, ya se. I will tell them this property is mine, I will put it down on paper like you did. I will not let them take my house away. Tell me Modesta, what else do I need to do?"

Doña Carmen was our vecina who lived by herself just a cross the street and when Mamá was working she or Yesenia would babysit me. Her house was one of the seven houses at one end of an empty lot across from us. I kept telling Mamá they should've built a park there for us. Not that any of the neighborhood kids would actually play with me, but I could at least have a place of my own, like a backyard or pretend it was my own room. That empty lot was bordered with a giant wire fence. There were two big crooked pine trees in the middle of it—they were so high they passed all the houses. I'd often tell Mamá they'd be perfect for a swing but Mamá said we couldn't put up a swing because it wasn't our property, just like we couldn't change anything to the half house because it wasn't our home.

Around March, the empty lot always had some patches with grass. The neighborhood kids had managed to push down the fence on one side by climbing over it year after year. Mamá said it was like the border she crossed, you just can't keep out the people who see a better opportunity. That empty lot made a great soccer field—the kids just kicked the ball around the trees. After a good rain, the empty lot became a wild forest, tall dandelions covered the ground and indigo morning glories hid the fence. Mamá called the dandelions and yellow little flowers on

the ground weeds. I climbed over the fence to make wishes and make-believe jewelry. But even with all the beautiful weeds, Doña Carmen still had a better garden all year round because in the winter that lot was filled with crumbled newspaper, broken beer bottles and junk food wrappers.

After our rent when up the first time, I remember a lot of houses and apartments began to be covered up with boards and there were less children playing in the empty lot. Mamá said Doña Carmen owned her house, so she would never have to worry about a landlord. She bought her house many years ago with her husband who died before we moved across the street. We didn't own our half house. We rented it. It was the only house I knew growing up but Mamá kept reminding me it wasn't our home.

"One day we will have to move hija, this is just a house, not our home. Our home is you and me, we only need each other to make a home."

We paid five hundred dollars a month for a long time, but the year before we moved the landlord raised it to seven hundred. I know because Mamá said it aloud many times, back then I thought she was talking to God but now I know it was Modesta.

"Ahora ya pagamos $700. ¿Como le voy hacer si tengo que pagar mas? ¿Que hago, que le puedo decir al Señor Mike? ¡Ay Dios! Si, por favor dime, ya se que va subir la renta otra vez."

She was right. Señor Mike did raise the rent again.

Back in those days, Mamá seemed more worried than ever before. She rubbed her hands together constantly whenever she wasn't cooking, cleaning houses or healing—she just kept rubbing them back and forth, one under the other. I was afraid she'd rub her fingers off. It was the kind of rubbing she did after she tried to cure a sickly boy years ago. She said the boy had a dark curse trapped in his gut, she said she felt it when she massaged his bloated belly and told the parents they'd have to go to the hospital. That sickly boy died a year later. His parents disappeared after that too.

"Andale Josefina, hurry up so you can come back to read and eat breakfast before you have to go to school!"

Mamá knew I was moving slow purposely. She knew I didn't want to go to school. Just a few days before my 4th grade teacher sent a note home, in Spanish, saying that I needed to practice more reading and work on my spelling too. Now, I had to read to Mamá at breakfast every morning, except for Sunday—because even on Sunday I get to rest like Diosito. I told her that I doubt God reads every day. She yelled at me and gave me a lecture about education, one that I heard many times.

"Ay Josefina, this isn't about God, reading and writing will help you all your life. You need it to be able to stand up for your rights. Los gringos won't take you serious if you can't read and write in English, they will just push you out of their way! And if you can read and write in English *and Spanish* that makes you smarter than them!"

I didn't realize it until much later, Mamá couldn't read and write English very well. She always asked me to read things to her. I thought she just wanted me to practice, like my teacher said I had to do. But after she told me about Modesta, I learned it was really important, one day reading and writing might help me get a house for Mamá. Modesta was only 12 when she claimed her land, back then I thought I could do the same thing when I turned 12. But it would be a long time after before I could do anything.

"Ok Mamá, what do you want me to tell the old lady?"
"Josefina María! What did you say?"

"Ay, I mean what did you want me to tell Doña Carmen?"

"Dile that I have to use her house today to heal gente who plan to see me. Tell her about the branch and how the landlord is coming to fix it."

"Reeeaaally, you called the laaandlorrrd? Hmm, I didn't hear you call him."

"Ay niña, you don't ask me questions, I am the mamá! Just do as I tell you, apúrate!"

As soon as I walked outside I noticed Tony trying to fix his car again.

"Hola Josie! Are you on your way to school already?"

"Hi Tony, no, I have to go talk to Doña Carmen and eat breakfast after. Are you coming over for breakfast today?"

"No, no, no, I can't keep bothering your mother for food. I got myself a coffee maker and a toaster, that's all I need for breakfast."

"Tony, why don't you ask the landlord for a kitchen? Are you scared to talk to him like Mamá?"

"Me scared? I'm not scared of anybody!" Tony's voice was quite funny. Sometimes he spoke like Mamá, other times he spoke like my white teacher. Tony had been our neighbor ever since I could remember. But his house only had a bathroom and a small closet. He called it his art studio. Mamá said it was cheaper than our little house but we couldn't live there because we needed a kitchen. Mamá said Tony didn't need a kitchen because men don't really cook.

"Actually, I like my little space like it is, it gives me room to paint and make my art, hey you should come over after school, you can help with the latest painting, you down Josie?"

Just then the door opened to our little house and the second train whistle blew, I looked back and saw Mamá standing with her arms crossed and her "vas a ver" look again.

"I'm going, I'm going Mamá!"

"You should've been back already Josefina!"

"Oh don't get mad at Josie, Señora Esperanza, I was the one talking to her."

Tony always told Mamá it was his fault when sometimes it was really mine. Mamá liked him because he helped us around the house and she paid him with a home cooked meal. One time when Tony had to fix the light in my room, he taught me how to climb out of my window. He also told me not to tell Mamá. That day he showed me how to sit on the roof and see more than ever before. Tony said he climbed on his roof too. It was the most peaceful place to be, quiet and the view was like one of Tony's paintings, filled with so many things I didn't notice when I walked on the sidewalk. It was then I spotted the white water tower with the words "The Golden City"—it looked like someone used mustard to paint the words. On the left side of the water tower, the church's bell tower peeked above the palm and oak trees that marked the horizon. St. Joseph's church was where Mamá and I went to church every Sunday. Tony never went to church. He used to say his art was his only ceremony.

That day on the rooftop, we watched the melting sunset and the squawking parrots pass just above our heads. Tony said we could see up to five miles in each direction. On the right side of the water tower, the train clock marked where the whistles blended in with the screeching cars and police sirens. That day I heard three, train whistles from the rooftop, the last one at exactly 8 o'clock. I remember the time because that train whistle meant it was almost my bedtime and Mamá yelled at me to get ready for bed and yelled at Tony to eat the food she had prepared for him.

I never got to hear the end of Tony's story. He started saying something about Chinese people building the railroads and gente losing their land to rich white guys, he said one of his friends in college told him about it. Now the train whistles remind me of Tony and time in the past.

Before we climbed back into my room, Tony pointed to the new art piece in his backyard. He picked up things that other people threw out and made it into something else. Mamá said he was better off doing his work as a drywaller than waiting for people to pay for his projects. Mamá said she liked Tony, he was a good man, but she thought he was becoming too much like the gringos.

"Tony what did I tell you about calling her Joe-see, se llama Ho-se-fee-na, como su abuelita en Zacatecas. Andale Josefina, I'll watch you from here, go and hurry back."

"Orale, Josie, uhum I mean Josefina, listen to your mamá so she'll let you paint with me afterschool. Sorry Esperanza, sometimes my pocho comes out, ya sabes..."

Tony turned to look at me just then and winked with his right eye so Mamá wouldn't see that he was kidding. Mamá just gave him one of her "vas a ver" looks and then turned to watch me cross the street. Crossing the street wasn't as dangerous in the morning, but I was not allowed to cross by myself after school. Mamá or Yesenia would meet me on the corner where the school crossing guard stood. A week after the branch fell a car hit a teenage boy who ran into the street after a soccer ball. I was never allowed to cross the street without an adult again. Gente placed a cross and flowers for him on the corner. But after we moved, a lot of things changed, even the cross for the dead boy was removed.

Doña Carmen's house is the only thing in the neighborhood that has remained the same. Her house was so much bigger than ours. She had three bedrooms and a very big bathroom with pink tile. She also had a wooden chair to sit on her front porch where you could count all the passion and poppy flowers in her yard. Doña Carmen's house didn't smell like our house, gente could smell her house a block away. At least that's what Mamá would say to Doña Carmen on days they gardened together. Mamá had her vegetable garden on the side of our house—filled with spinach, carrots, tomatoes, jalapenos, onions and cilantro. They would trade their vegetables and herbs.

The lavender near the front steps of Doña Carmen's house grew so wide that the entrance looked half its size. In between the violet stems you could see the lime green spikes from her aloe plants. Sometimes Mamá picked lavender and pieces off the aloe for her teas. But that wasn't all the plants, bougainvillea—the color of blood—stretched all over the left side of her house. Mamá said all those flowers were California plants. My favorites were the bowing girasoles and proud calla Lillis planted in the backyard, they reminded me of gente in our city. Back then Doña Carmen's house didn't have a fence so sometimes people stole her sunflowers and calla Lillis. She didn't mind, she said as long as her flowers made people happy it wasn't stealing. I also liked the yerba buena along the other side of her house because it smelled and tasted like breath mints.

She also had a lot of curios I couldn't touch in her living room. I especially liked her collection of porcelain angels. Mamá used to say one day after I go to college I will be able to have a house just like Doña Carmen, with all the angels I'd collect from visiting my abuela in Zacatecas. Some angels in Doña Carmen's living room had golden wings, others had jagged edges because someone dropped them and the wings broke. Doña Carmen said she couldn't throw them away, it would be like ignoring the spirits who visit us on Día de los Muertos, they would just be lost in the in between world. Maybe that's where Modesta lives too. Maybe Modesta was coming back to repay people in the next life. After that day, I asked Mamá about Modesta. She looked at me surprised.

"Mamá, who's Modesta and why does Doña Carmen talk to her when there is no one there and she's not on the phone? Is she talking to one of her angels?

"Did Doña Carmen *tell you* she was talking to Modesta?"

"No, I heard her say her name when I went to her house this morning. So do you think Doña Carmen talks to ghosts?"

"What makes you think Modesta is a ghost?"

"Mamá! Just tell me, is that old lady
crazy o que?"

"Josefina María! Don't disrespect your elders! If you want to know about Modesta I will tell you but don't call people crazy for talking to spirits. I don't know what they teach you at that school, but in my house we don't talk badly of our neighbors or dismiss our ancestors. Además, Modesta is part of the history of this city, I don't know why they don't teach you that at school."

I don't remember how the rest of that day went. Even the months after flew by so fast, they all spun together like the leaves did when the Santa Ana winds hit while I walked to school or church. Mamá still makes fun of me for putting up a sign in front of the half house like Modesta put up on her family's property.

"This half house belongs to my Mamá. And if the landlord raises the rent, he will have to let us live here for free."

I thought it would work. I was the only one who read and wrote in English. I wrote one for Lalo and Yesenia too.

"This half house belongs to Lalo and Yesenia. And if the landlord raises the rent, he will have let them live here for free."

They thanked me with a mango-chili lollipop and gave me a coloring book the day they moved away.

Tony moved before all of us, I didn't try to save his art studio, especially because the new man who lived there made

Mamá angry. He had noisy parties and we would find beer cans in our vegetable garden.

Doña Carmen asked me to put a sign to save her house. She even gave me paint to use instead of my crayons and taught me how to write it in Spanish too.

"This house belongs to Doña Carmen Rosas. And if the city wants to build here, they will have to pay her 10 million dollars."

"Esta casa pertenece a doña Carmen Rosas. Y si la ciudad quiere construir aquí, tendrán que pagarle 10 millones de dólares."

She giggled every time she saw it. She told me Modesta liked it too. Modesta never spoke to me, even though one time I lit candles and called her name three times. Mamá said Modesta didn't need to talk to me because I was just a child. But I reminded Mamá that she was a child too when she stood up to the railroad people. Doña Carmen said Modesta also put up a clothesline to keep the railroad from being built on her land. But I didn't need to do that, both Mamá and Doña Carmen already had a clothesline, I know because they made me hang up the wet clothes every week.

Doña Carmen did have to fight for her house. But not the kind of fight you see at school. She had to get a lawyer and go to court. She said Modesta didn't trust any of those city people, especially the *Hispanic* council members who wear fancy suits. She said they are just trying to be like the gringos, some of them have forgotten their parents were once gente too.

Mamá and I eventually had to move. Senor Mike didn't like my signs. He just told Mamá we had to remove them.

Sometimes I walk the long way home from school and pass by Doña Carmen's house. Mamá never finds out because she's always at work these days. I never see Doña Carmen in her garden anymore and all her flowers are gone. Her house is the only house left on that block. I like to think it was because of the sign I made to save her house. The empty lot is no longer empty. It has become apartments Mamá can't rent because she said they ask for papers. I told her I have lots of papers and I can write anything she needs. She just ignores me.

Mamá doesn't heal people anymore. She takes a long bus ride to the happiest place on earth but she's never happy. The art studio is now an ice cream shop, but Don Gustavo doesn't work there. The half house is now painted white and other people live there. They don't know that was the only place I called home.

For now all I can do is light candles every Sunday. Just last night, while Mamá worked a late shift and the lady who we rent a room from fell asleep, I lit a candle in hopes that Modesta would hear me calling her name again.

"Modesta Avila, Modesta Avila, Modesta Avila, please send me a sign."

I said it two times. Within seconds, I heard a train whistle and felt a gust of wind come through the small bedroom Mamá and I share. The candle blew out immediately. I waited to hear Modesta but never did and I fell asleep before Mamá came home.

The next morning while eating breakfast Mamá told me to read her the paper. Before I could read the words aloud, I knew Modesta heard me.

"Southern Pacific cargo train derailed, local development affected"

On the night Hector and Graciela were separated from their parents, cop cars crowded the streets. The police put up barricades and the red, white, and blue lights incited whispers of "¡Retén!" and "¡No vayas por ahí!" Police held heavy batons, threatening gente to return where they came from, while piercing sirens foreshadowed an immigrant's worst nightmare. It was in that moment when their mother turned towards the backseat to yell louder than ever before.

"¡Córranle hijos! ¡Corran!"

There were many instants that led up to that night but Hector never knew the details, not like Graciela did. She listened and watched everything. She knew her parents were not supposed to be in this country. She knew when the word *illegal* was printed in the newspapers and repeated on TV that it meant her parents. She also knew her parents worked hard just to pay for the garage they called home.

But Hector and Graciela's papá reached a point when

he couldn't provide that for much longer. He had tried many times to better their lives but without papeles and a steady job he couldn't quite live the American Dream he had promised them all.

*

A week before, the father was tossing and turning in bed when his wife said to him, "Listen to me viejo, we have to plan for my cousin Lupe to take both of the children if we are deported." "No, vieja," the man said. "I don't have the heart to arrange for my children to live with such a woman. I know what Lupe thinks of us—she never looks me in the eyes!"

But she insisted, "Hector and Graciela were born here, they will be ok viejo. Ademas, you were lucky to be late dropping off Hector at school. If you had arrived on time, ICE would've taken you like the other papás they pulled over that day."

"But they didn't take me."

"Viejo, what if something does happen?"

"¡Nada va pasar vieja!" This time the man yelled.

"If we don't think of something," his wife responded, "the children will think we just abandoned them, how will they live then?" She didn't stop nagging until he said yes. But in that moment, he only agreed to talk to Graciela when Hector wasn't around. He didn't want Hector to be fearful at such a young age.

The older sister and young brother were still awake, a curtain was the only thing that separated the room, and they had heard everything that their papás said. Hector thought, "Why is mamá saying those things," and began to sob into his sister's arms. But Graciela spoke: "Be quiet, hermanito. Don't get upset. We will find a way, you'll see." Upon saying this, she got up, wrapped her cobija around her shoulders, opened the garage's side door, and crept outside.

The moon was shining brightly, and the streetlight flickered in front of the driveway like twinkling stars do in the Sonoran Desert. She was reminded of the border crossing stories compadres told when they thought she wasn't listening. How they used the light from Coyolxauhqui and her siblings to guide them through the dessert when they traveled from Puebla to Mexicali, and eventually into el norte. Her mother once said, "Coyolxauhqui is the moon goddess and her siblings are stars, which many travelers look up to for direction, hija. But don't be fooled, sometimes she misleads gente into trouble too." Mamá also told her how Coyolxauhqui mistreated her own mother, Graciela couldn't imagine turning against Mamá but she also didn't want to live with Lupe. So she looked to her right, then her left, noting the names of the cross streets, counted lamp-posts like stars and stared hard at the moon. Then she went back into the garage and wrote in her notebook, making sure to jot down her address too.

"Don't worry, hermanito. Coyolxauhqui will make sure we know our way home. Just sleep quietly." And she lay down next to Hector and fell asleep too.

Early the next morning, before the sun had even begun to rise, their mother came in and woke Graciela with whispers.

"Graciela, levántate. Papá wants you to go with him into downtown to get the carrito from the mechanic today. Here's some sweet bread for each of you. But be smart and don't eat it until you're at the fountain and papá buys you something to drink."

Graciela carefully wrapped her pan dulce in a napkin and held it in her palm. She stuffed a small notebook and pencil in her pockets. Then she and papá went towards downtown together. After getting on a bus, Graciela stopped to look back at the driveway. She did this time and again until her father said, "Graciela, what are you looking at back there? Pon atención, we

need to get off at the next stop!"

"Ay Papá," said Graciela, "I'm looking at the lime-green parrots who fly over as the sun rises. They just want to say good morning to me."

"Ah que niña," Papá said, "those are not parrots you hear. It's the screeching of cars taking gente to work. Who else would be up this early?"

But Graciela had not been looking at the parrots. She had been counting bus stops—noticing the Newhope Library, and writing down street names they were passing along the way. When they reached downtown, Papá said, "Hija, I want you to sit by the fountain, I'm going to get something to drink with your pan dulce."

Once she sat by the fountain, Graciela wrote down everything she saw in her notebook. Papá returned with hot water that he felt ashamed to ask for at the nearby cafe. When Graciela was about to start eating her sweet bread, papá said, "Hija, stay here at the fountain, I'm going to the bank. When I'm finished, I'll come back and get you."

"Papá, I thought you wanted me to come with you to get the carrito?"

"Si hija, but first I have to go cash my check to pay the mechanic."

Graciela sat by the fountain, and nibbled on her pan dulce for a couple of hours. But Papá did not return. When hours passed and she had no more bread, she began to wonder if Papá abandoned her. Right before sunset she noticed police passing through, at first on foot, then a set on horses too. Graciela pretended to run after a man and woman walking side by side, as if they were her parents. Once out of the cop's sight, she ran towards the sound of the train, away from the restaurants and bars their parents said they couldn't afford. Graciela wrote down all the street names off Civic Center—Main, Bush, French, Minter, Garfield, and Santiago. At the last minute, she turned on Custer because she heard children's laughter and hoped it would be Hector and mamá. She spent the last of the day's light at Chepa's Park in Logan Barrio. After nightfall, she walked to the train station and stood on the platform. When the train station security guard stared at her too long, she hid in a bathroom stall.

Once Graciela peeked outside and saw the full moon over the city's water tower, she left the train station and made her way home. The streetlights flickered again like shooting stars in Mamá's Sonoran Desert and she believed Coyolxauhqui showed her the way. She walked a long time, staring back at the moon often until she arrived back at the garage just before midnight.

"¡Hija! Where's your father? I've been so worried!"

But Graciela could not find words to respond. She merely cried into her mother's arms. Hector hugged his sister at her waist. All three of them wept together, then suddenly the garage door opened and Papá walked in.

When he saw his children nestled in Mamás arms, he shouted to them with all his heart, he had not liked the idea of being separated from them.

"Ya mero vieja, ya mero pero no los dejé que me llevaran." His voice cracked and he didn't speak again until the next day.

Hector was not sure what Papá was talking about but Graciela knew what he meant. She could only imagine what happened because neither Mamá nor Papá told her anything about it. Mamá was delighted by Papás return, but secretly she was ashamed of the life they had given the children. It was Mamá who ended up talking to Graciela.

"Graciela you are going to have to take care of your brother if something happens to me and your papá. You will have to explain our deportation to him, tell him it wasn't our choice to leave."

"Mamá, why can't Hector and I just live here on our own? I'm big enough, I can find a job too. I know my way home, I came home by myself the night Papá disappeared. I remembered what you told me about the moon and stars, about Coyolxauhqui, she didn't mislead me, Mamá. And I know how to trick the police, I can hide from ICE too."

"Ay hija, ICE will not come for you and Hector. No te preocupes por eso, you were born here, you have rights. Remember that, ok? And don't be like Coyolxauhqui and go against your mamá, remember what I told you, she didn't become the moon goddess because she did the right thing. She and her 300 siblings went against their mamá, that's how they all ended up lighting up the sky, to serve as a reminder."

"But prima Lupe doesn't like you. I know she doesn't, she said it to her neighbors."

"¿Cuándo?"

"When we stayed with her the Saturday both you and Papá went to work. Her neighbor asked who we were, she said you were an *illegal* and the only reason she let us stay was because you clean her house."

"Ay esa Lupe, she thinks...ay what did I tell you about eavesdropping into adult conversations, Graciela? Olivídate de todo eso hija. Remember if something does happen to us, tell people prima Lupe is your familia. Here, give me your notebook, the one you write everything in and carry everywhere. I'll write down her information for you."

Not long after this, there was once again not much to eat in the house, and one evening Hector heard Mamá say to Papá, "Graciela found her way back that one time, and I don't want to think of bad things, but now there's nothing left in the house except for old frijoles, we are late on paying rent and yesterday la migra knocked on the comadre's door, it's only a matter of time viejo. Tomorrow we must talk to both of them, we can go to Delhi Park so they can play and we can talk to them there. Otherwise there's no hope for us—or them."

All this saddened the father, and he thought, "It'd be much better to share the last bowl of beans with your children at home and think of another way for us to survive as a family. We must work harder vieja!" But since he had seen his compadres' families ripped apart, he knew he had to explain to his children the possibility of him and his wife facing deportation.

Hector and Graciela overheard their parents' conversation again. Graciela got up and intended to write down more plans in her notebook but she heard Hector whimpering to himself. Nevertheless, she comforted Hector and said, "Just sleep, hermanito. Coyolxauhqui will help us like she helped all the others who traveled here."

Early the next morning they each received pan dulce like when Graciela went into downtown with Papá, but this time it was one piece cut into two. On the way, Graciela grabbed the bread in her pocket and each time they passed a street, she transferred a piece of bread to the other pocket, just to keep count. Then whispered places to herself: "Newhope Library, El Toro Carnicería, Flower Street Park."

"Graciela, why are you always stopping and looking around?" asked papá. "Ándale, keep walking, hija!"

"Ay papá, I'm looking at the pigeons sitting on the telephone wires, they are like us, they stick together even when they don't have a real home," Graciela answered.

"¡Ay niña!" her mother said. "Those pigeons are not like us, don't you see they get to live wherever they want! And they get to eat more than just frijoles and breadcrumbs."

They made their way to Delhi Park, turning left and right onto smaller streets—passing a liquor store on McFadden, Lathrop Intermediate School, turning on a street Graciela could no longer remember, then a right near Alva's Dulcería and eventually a left after passing the "Historic South Main" sign. But by then Graciela had too many street names to recall, had run out of bread to count, and got confused on which way was home. Once again, they were to wait but this time at Delhi Park with Mamá and Papá was to return with the carrito. He had to save money all over again to get his car out of the city's pound. The carrito had been taken away from him when they pulled him over on his way to pick up Graciela at the fountain. He had regretted going for the car before returning to her, but he had hoped to surprise Graciela and have their talk as they were driving, instead he made his daughter feel abandoned and hadn't found the right words to apologize to her.

When noon came, Hector shared his bread with Graciela because she only had crumbs in her pocket. She tossed them in the grass for the pigeons. They sat under a large cedar tree watching the pigeons roam freely. Noon went by and then the afternoon passed but papá didn't come for them. Mamá comforted Graciela and Hector and said, "Just wait until the moon has risen, hijos. Then we'll see the streetlights, read street names and recognize places we passed. You'll see, Coyolxauhqui will show us the way back home. ¿Verdad, Graciela?" But Hector seemed confused and questioned Mamá.

"Isn't Papá coming for us? Did something happen to him?"

"Hector Mamá is just teasing us. Papá will be here before dark, right Mamá?"

Just then they heard a car honk and they all turned to see

Papá waving to them from the carrito. On the way home Papá had the talk Mamá had wanted him to have with both children. He was calm and smiled to Mamá after they all spoke of their situation. They even stopped for a smoothie at their favorite place on First and Spurgeon, Mamá told the children it was just like the licuados in Acapulco where she and Papá visited before they came to el norte.

It was on their way home from First and Spurgeon where they encountered the police checkpoint. After Hector and Graciela had run out of the car, they hid in a nearby parking lot. When the moon rose and Graciela looked for the streetlights, most were out because the city did not keep them on in some areas, and others were knocked out with rocks and bullets by cholos. Yet, Graciela believed she could find the way home and pulled Hector along with her, but soon unexpected clouds covered the moon, and the stars were nowhere to be seen.

"Oh Hector, I should've listened to Mamá, Coyolxauhqui has taken us the wrong way!"

They walked the entire night and all the next morning, until they found themselves in front of the city's freeway, next to the city's zoo.

"Mira Hector, wouldn't you like to visit the zoo?"

"Graciela I'm sleepy and cold, I don't want the zoo! I want to go home!"

Suddenly, Graciela remembered it was the same freeway Papá said he took to work. They walked a couple more hours but they didn't know which way to go. Staying along the freeway, they passed First Street, Calle Cuatro and even the train station again—they rested for a while there too. They were now also very hungry, they had only been able to eat a couple of guayabas from someone's front yard.

When they stood on the corner of 17th and Flower, Graciela remembered Flower Street Park and pulled Hector towards a new direction. Then arrived at main public library, surrounded by people of black, brown and white skin, elderly and young alike. They were like a big family camping on the grassy areas—except it was obvious to Graciela those people were homeless. Some had shopping carts filled with plastic bottles and paper bags. Others had tents made out of cardboard boxes. There was a group from a local church handing out plates of food and milk on folding tables. "Let's sit down and eat until we're full, then we will go home" said Graciela. "I want to eat some spaghetti. Hector, you can have a sandwich and milk."

Graciela had already licked clean a plate of spaghetti while Hector had devoured a peanut butter and jelly sandwich and they were both about to eat more when they heard a heavy voice shout nearby:

"Oh look, I see some illegal children! Now why are you eating for free in my city, little amigos?"

Hector and Graciela were startled, they dropped what they had in their hands, and immediately a brown ogre in army-green shirt and pants crept out from behind a tree.

He shook his monstrous head and said, "Now, now, children, where did you come from? Do you speak inglés? Come with me!" "No! No!" Both Graciela and Hector began to scream and run in the opposite direction. Hector thought he was having a nightmare and Graciela instantly thought of the cucuy leyenda Mamá told.

"I'll send you back to your parents. Where did you say they live and where are they from?" The brown ogre spoke to them with ease and confidence.

No one around them seemed to notice or care, it was as if they were all invisible. He dragged them both by the collars of their shirts into a nearby building and locked himself with them in a small office. At first, they refused to answer his questions. Then he served them a meal of pure junk food—soda, hot dogs, doughnuts and chocolate candy. He had a crooked smile and was sloppy when he ate, but by then he seemed friendly enough to Hector and Graciela.

The ogre said he was brown just like them and wanted to take them to a better place to live, he described it like a fairytale, like the amusement park in a neighboring city, where dreams do come true.

"Don't you want your American Dream? C'mon I'll show you..."

This time they were happy to take his hand. He led them to a group of casitas just outside the city limits and near the Pacific Ocean—specially made cottages for brown children just like them, so he said. There, they had a large bedroom all to themselves with new blankets, new clothes, even a writing desk with stacks and stacks of notebooks. At first, Hector and Graciela were thrilled to live in a real house, to have their own beds and sleep in an actual bedroom, the closets full of clothes and all the toys weren't as important to them. They thought the real home is what their parents wanted for them—a white picket fence, a nice neighborhood with well-lit streetlights. Graciela couldn't help but think if this was what her papás called the *American Dream*.

Early the next morning, before the children were awake, the brown ogre in the army green uniform got up and looked at Hector and Graciela sleeping so sweetly in their own little beds, he was delighted and thought, "They'll certainly be easy to get rid of, not even their parents cared much for them!"

For the ogre was really a Minuteman in search for unaccompanied children, and had arranged with ICE to give away free food and places to sleep only to lure such children to him. As soon as he had any brown children within reach, he would kidnap, jail and find a reason to deport them. It would be like a day of doing his patriotic duty, so he thought. He

was merely serving his country, making America great again, and again, fitting in with the so-called American citizens was his intention. Therefore, he was quite proud of himself for catching Hector and Graciela.

Soon after he carried Graciela while she was sound asleep and stuck her into a small cage. When she woke up, she was behind a wire mesh, and she couldn't move around. He knew she'd be the one to give him trouble, but since Hector was so small the ogre made him into his personal servant, just like he'd felt as a child himself. After, he yelled, "Get up you illegal! Get some water, and then go into the basement and sweep the floor. Your big sister is locked in a cage. I want her to realize she's not wanted here, and when she insists on being let out, I'm going to send you both back to Mexico or whatever godforsaken country you're from."

"But, but, we are not..." Hector began to cry and couldn't spat out the words.

"Stop crying boy! Clean the basement, feed her the scraps off the floor, because there'll be no more free school or food for either one of you." The ogre waved his fat finger in Hector's face.

Hector was frightened. He had to do what the ogre demanded. So he swept and fed poor Graciela the few edible scraps so that she wouldn't go hungry and the ogre wouldn't do more harm. Thereafter, the ogre came and called out, "Mexican Girl, are you tired of being in this cage, are you ready to go back to your godforsaken country?"

However, Graciela only said she'd slept well and loved her new home and the ogre was continually puzzled that Graciela did not want to be set free. Graciela knew she could trick the brown ogre like she tricked the policeman, like she told

Mamá she would trick ICE too.

One evening, after a month had passed, the ogre said to Hector, "Hurry, clean the basement! Your big sister is going to be deported tomorrow. Today, I want to prepare another cage for the next set of children."

So Hector went off with his hands clenched, swept the basement and prepared another cage, yet he hadn't cried since the first day. Early the next morning he got up, fed his sister scraps and set up the second coop.

"Make sure it will not break with a hard shake or push," said the ogre. "I wan to make sure two children fit inside."

Hector was standing in the basement angry, and thought about Graciela and her faith in Coyolxauhqui, "It would've been better if we stayed with Mamá and Papá and no food, or we all got deported together. Coyolxauhqui, are you really there?"

Then the ogre called: "Illegal, come right away!"

When Hector got to the new coop, the ogre said, "Look inside to see if the cage will fit two children. I'm too big to fit pass the mesh gate myself, sit down in the middle, and I'll move your big sister into this cage to make sure it's the right size." The ogre wanted to shut the mesh gate once Hector was inside, he wanted to torment and deport him, just like Graciela. This is what the ogre had planned to make sure ICE would approve of him too.

But through a small window near the ceiling of the basement, and a rare day when the moon was out before sunset, Coyolxauhqui appeared to Hector, and he said to the ogre, "I don't know how to do it, please show me brown man. I made the cage bigger this time, sit in the middle and I can follow you. Then we will know if three children will fit instead of two."

With the excitement of fitting more children, the ogre

didn't doubt Hector and went in head first. Hector used all his might to give him a good jolt on the butt like he knew his papá would tell him to do. Then he quickly shut the mesh gate and bolted it with an iron bar, he'd made sure the cage would be too small for such a big monster. The brown ogre began to scream and groan, threatening to kill them both. But Hector ran off, and the ogre was miserably stuck without being able to move.

After opening the door to Graciela's cage, she jumped out to hug Hector tightly. As they ran through the ogre's house, they passed through rooms filled with others' belongings—coats of all sizes, children's shoes and backpacks. They each picked up a coat, a surprise for there papás. On their way through the streets, they believed Coyolxauhqui kept them company in the sky, she'd reappear at each corner when Graciela shouted the names of the streets she recognized.

Once they arrived at their garage, Papá smiled and admitted he hadn't spent a single happy hour since they had been away. He promised to find a better way for them to live in this country, he apologized to both of them many times. Yet, Mamá was nowhere in sight. When Papá asked about the coats they carried, Graciela explained they were for both of them. Just then Papá inspected both jackets and found lots of money sewed into the seams. The children were so overwhelmed they wanted to share the surprise with Mamá too. Papá made them sit at his side while he explained she had been deported after going out in the middle of the night to find them, the same night they were pulled over at the checkpoint and Coyolxauhqui was covered by clouds and her siblings, the stars, never lit the sky to help them.

I t all started at the restaurant, the one on Washington and
Custer.

"Thank you Gloria, as usual you serve the best
huevos rancheros in town. Say, can you tell me what that guy is
doing out by the wall? I saw him setting up some sort of scaf-
fold platform when I made my way in here."

"Oh you mean Jose? He's painting, he has a plan to paint
all the soldiers."

"All the soldiers?"

"Oh I mean the war veterans, you know the viejitos,
the old guys like you Mr. Harry," Gloria smirked as she picked
up my plate. She always got her words twisted, sometimes to
take a poke at me, other times I noticed it was jumbled in her
translation.

That Monday morning, before court, I did as I had
always done for the last thirty-some-years. I ate breakfast,
ordered the same plate with a black cup of coffee and flour
tortillas on the side. Gloria wore a royal blue Mexican dress with

white fringe as she also did on Wednesdays and sometimes Fridays. She too had aged like I have. She lets the ruffles sit high rather than off her shoulders, and her apron, pressed and clean, sits wide on her childbearing hips. I think she once told me she has three or four sons. I'm sure they are fully grown by now. I finished my breakfast that day and left the same tip I always leave, just under the porcelain coffee mug that seemed to wear the years like the both of us.

"A-di-os Gloria, see you next week!"

"Si dios quiere Mr. Harry, si dios quiere, bye-bye."

Before walking out the front door, I nodded to the owner and grabbed a toothpick by the register.

Once outside, I purchased the county's paper from the nearby newsstand. It was then I got a good look at him. He was wearing a backward baseball cap, stained black t-shirt and baggy, khaki pants. We all know the type. Some are tattooed with local street names, Spanish last names and portraits of women. They usually linger on liquor store corners or donut shops here in my city. I know. I have prosecuted my fair share in the last four decades. This guy was somewhere between high school drop out and deadbeat dad, at least that's what I thought that day.

I kept my eye on him and crossed the street over to my Cadillac. He was set up on the southeast side of the street. Based on what Gloria said, I figured he must be doing the project for the liquor store and restaurant owner, figured he finally obtained some real hard work for himself. I sat in my car for about a half hour observing the guy—you know just to make sure he knew that I knew what he was doing. Before driving away I made a call to the department, asked them to send some patrol units to pass through the corner of Custer and Washington over the next couple of days, just to keep this guy straight.

I returned that same week. I mean I've been investing in that joint for decades. Not only is it the second oldest, authentic Mexican restaurant in the county, it's in the first Mexican neighborhood in my city. Many of us—white folks—have been going there through the years. We keep it from going under. Through all the bad times that occur in this neighborhood, Logan Barrio has somehow survived it all. And this restaurant is very welcoming and patronized by folks who don't live here, many like myself. I was looking out for everyone's best interest, very few joints in such areas are this reputable.

When I returned, that guy had already painted a few profiles of military folks in shades of sepia. They seemed so realistic, I was curious to know more about them.

"Howdy, so what are you painting there, son?"

"It's obvious, isn't it? I'm painting war veterans."

"Well, I can see that but what's the point of it all, was your pops a veteran?"

"No sir, my *pops* lives in Mexico," I chuckled after he made his statement. A part of me felt like he was trying to be sarcastic. I gave him the benefit of the doubt. He didn't seem know who I am. To him, I was just another grin-go, I guess.

"So why the interest in war veterans then?"

"Do I need a reason to honor those who have fought for our country, sir?"

"Well, no. It's quite honorable. I'm just wondering why a guy like you is doing this work I guess."

"*A guy like me*, yeah I guess that's how it would look *to a guy like you.*"

"No offense, kid..."

"Oh I'm not offended sir, it's not the first time *a guy like you* questions me. Not offended at all, maybe a little too used to it. Maybe you should read the names of these men, stare at their faces hard, like really hard—let the art speak to you. Maybe, they will tell you why *a guy like me* is making sure everyone notices them. They too fought for this country, but very few of them get recognized when they walk through our streets, especially by *guys like you, sir.*"

"Gómez, Martínez, Peña, Rodríguez..." I said some names aloud, so he would know I was being serious.

"By the time I finish, I'll have a lot more names for you to read on this mural," the guy spoke so sure of himself, without an accent or misuse of words. His English was clear, not muddled like Gloria's. Can't know for sure, but he must've been born here. He was a little too confident for me.

For the first year, I kept going back. Sometimes he was there. Sometimes I'd go weeks without seeing him.

"Gloria, what happened to your friend Jose?"

"Mr. Harry, are you keeping an eye on him?"

"I'm keeping two eyes on him Gloria, making sure you stay safe."

"Ay Mr. Harry, our city is very safe. Jose works, sometimes he can't make it to paint the wall. You know, he's doing it all for free. Isn't that very nice of him?"

"So the owner isn't paying him? How does he get the supplies?"

"Our gente takes care of him Mr. Harry. Sometimes we feed him. Sometimes people bring him paint. Many people, even some 100 miles away bring him pictures of their family members, so he can paint them. Gente, people whose family one time lived here too."

"Huh, well I'll be damned. Never thought, he'd being doing it on his own dime."

"Mr. Harry, you thought someone was paying him?" Gloria raised her right eyebrow and stared hard at me. I guess I was a little embarrassed.

"Well yeah, why would a guy like him do it on his own?"

Gloria just shook her head in disapproval, picked up my plate and walked away.

"¡Ay! ¿Oíste lo que dijo? Todos estos años comiendo aquí y todavía no conoce nuestro barrio o nuestra gente."

She said gibberish I didn't understand. It was the first time she didn't seem happy with me. Or maybe it was the first time I actually heard her, really cared what she said. She came back with my change without saying a word. I felt bad, but didn't know why. I left her a dollar more than usual, just to let her know I didn't mean to insult her or Jose.

In a way she prepared me for what was to come. She made me see things differently, I guess. Since Jose wasn't there I decided to go check up on his work. I wanted to see the new faces.

"What was I missing?" I thought to myself.

But I just wasn't expecting to see what I saw. I was not expecting it at all.

The mural had started pretty quickly, Jose painted a handful of faces within days but then he slowed down for a while. The faces were too life-like. I scrolled my fingers over them at first. Then I traced the outlines of the ones yet painted. Jose had used the right set of hues of brown and green to recreate skin tones and military uniforms. The POW-MIA soldier was the most visible to me. I stared at his missing face, not knowing what answers I'd get.

"Hey, I've seen you coming here since the young guy painted me and my compadres. Are you waiting for your family member to be painted o que?" The voice snapped, sounded like it was next to me.

I turned thinking Jose might have crept up behind me to give me a good scare. But there was no one in sight, not to my left or across the street.

"Hey, I'm talking to you. Yes, you! Stop looking over your shoulder hombre, aquí, in front of you," this time the voice was louder, and out of the corner of my eye I saw something move on the wall.

It was a bust labeled González, just two above the missing face of the POW. He wore a Vietnam War helmet with a chinstrap. His small brown eyes and sneer moved towards my direction, he seemed to be chewing on something and spat out a rust-like fluid on the ground from the cracks in his lips.

"Nasty habit compadre, never start with the chewing tobacco. It's harder to quit than the cigarettes. But it was the only thing that kept me awake when I had to guard the post overnight," the raspy voice reverberated from the wall.

I rubbed my eyes. I thought maybe the spicy salsa had given me indigestion. Maybe I needed more coffee. Shit, maybe I was having a stroke. I stared at González, he kept chewing and trying to get me to talk to him.

"I know you can hear me. You look like you saw a ghost, didn't think a whitey like you could get any whiter," he chuckled. His eyes bounced up and down and his lips perched like he was trying to whistle.

"Ay, I'm just kidding, don't think I'm racist. It's just the names we had for each other when we were in combat. I was given the name Mexi in my squadron," the image kept jabbering as if he knew what I was thinking.

"You know, most young folks don't know much about Vietnam, and them people are not very different from us Mexicans. Hell, they eat just as much rice as we do, and chile también. We are practically cousins. Y yo, a wetback going over to Vietnam to get more wet in the rice fields," he chuckled again.

"Chinos that's what I called them before the war. Chinos, until I saw one of them killed. When that kid went down, I saw my baby brother's face. I saw mi jefita bent over him screaming in agony, rocking him like a baby, like she'd rock my baby brother—back and forth, back and forth. I know now they are not all Chinos or gooks, like some of the whiteys called them. They were actually brown like me. Si compadre, they were all brown like me," the voice trembled as it spoke the last six words.

And just like that the brown painted mouth stopped shifting from one side to another. I just didn't know what to make of it, so I didn't tell anyone. I avoided that mural for the rest of that year.

"¡Mira, es un milagro! Hola Mr. Harry! Where have you been, everything ok?" Gloria started the conversation as soon as I entered the restaurant.

"Oh it has been very busy at the courthouse Gloria, very busy with all those gangs making a muck of my city. But yes, I'm ok."

"Ay Mr. Harry, I was worried about you, I started thinking something happened to you," she smiled her usual smile, then placed a mug on the table and filled it with coffee.

"No-no, no need to worry Gloria, I'm fit as a bull! And today I want to eat..."

"Huevos Rancheros con flour tortillas, I not forget Mr. Harry, glad you are here too," she said it so happily, as if she never raised her eyebrow at me before.

"Hey Mr. Harry did you see? Jose is almost done, doesn't el mural look nice?" her words caught me off guard. I had deliberately parked on the other side of the restaurant, so I wouldn't have to see those faces again.

"No, no, I haven't seen it Gloria. So the guy is almost done, well I guess I have to go inspect it."

"Ay Mr. Harry, you don't always have to be a lawyer. Jose is a good man. Maybe he doesn't dress like you, but he is good too," she looked me straight in the eyes and shifted her weight to her right while waiting for my response.

"Say Gloria, do you know any of those faces, are they your family too?"

"Not mine, but Señor Espindola, he is painted on the wall, he lives in our city still, I know him. He's old but still very proud of his time in the War World II. I do have a primo, a cousin, in the military. He did it to become a U.S. citizen and have a steady job you know," she winked at me and walked towards the kitchen. After walking out of the restaurant, I avoided the mural, those faces. But I did return often and then one time, several months down the line, a voice called to me as I walked out of the restaurant once again.

"Hey Mr. Harry! I'm over here, around the corner," the voice sounded young, but old enough to be Jose, so I decided to go see what he was yelling about.

The second I turned on Custer I couldn't resist glancing at the wall. It was more than two-thirds complete. I thought to myself, "Had it really been that long since I last saw those faces?"

The massive mural was now in it's fourth year in the making and near completion. With about 160 faces of men and

some scenes from various frontlines, including women in nurse's uniforms and a beautifully detailed profile of Anne Frank too, the mural was more than art, it was oral history.

"Hola Mr. Harry, I've heard about you," a new voice emerged from the wall.

The body was labeled "Espindola" and he was depicted also in uniform. He seemed to be a teenager in combat fatigues, clutching a weapon and taking a knee with his head bowed south, before a representation of the U.S. flag. Behind him, two young men also in battle uniforms wearing war helmets, like González. One young man was laid out on his back on a dirt mound, with his eyes closed. I'm pretty sure he was supposed to symbolize a fatality, the second, not much older, with his back to me, getting ready to shoot ahead.

Jose had also added scenes from a concentration camp and doubled the scope of the original mural to cover the entire side of the building—it showed dozens of men from the estimated 500,000 Mexican-American soldiers who fought in World War II. They too were all part of the generation that paid the price for me, my family—all of us—to be here.

"Hey Mr. Harry do you see me? I know you do. The kid did a nice job, eh? I wasn't sure he was going to pull it off either. I mean, how could he know what we went through, and know where to place us. Pero mira, the smile on Señorita Frank's face and the planes in the blue sky, and the proud eagle. The kid knows his history, and now he's part of it too," Espindola spoke with his head bowing as if in prayer. It was a young man's whisper, with an old man's wisdom. I heard him clearly. I heard him. And for the first time, I saw them all too. They were all Mexican your honor.

I keep returning to the mural to hear them speak, to hear their side of the stories. Although I never say anything to them your honor, they keep talking to me, they keep reminding me—reminding me they too have a place here, and in our history.

So you see your honor, I will have to recuse myself from this case. I can't say this man did the crime my city is saying he's done. If anything, he has taught me a lesson, I should've never put in place those graffiti laws and gang injunctions. This city is not mine to claim. These people, yes, these people are the only ones who can claim these walls and streets. These people, have invested in our city and in our country too.

Not long ago, there lived a Chicana writer who gazed out her window daily. She lived on the second floor across from the little city's wishing well. La Fuente is what she called it. She found the rustic fountain, made of golden marble with a perfect circular pond, odd. It seemed out of place with its delicately carved pedestal and pillar. She believed it could easily live in the promenades of Italy or Spain without a moment's doubt of its purpose, but here in the middle of the artist village in the little city La Fuente just seemed more of a farce than a place for casting wishes.

One particular early morning, while rubbing the sleep out of the corners of her eyes, the writer sat down at her desk before she started her morning ritual of boiling water, grinding coffee beans and frying eggs. The sun's rays gradually entered the neighboring window until they twinkled on the large wooden table like a supernova in the midnight sky. The melody of sprinkles and distant squawking woke her from her somber trance.

Sarah Rafael García

"Lluvia? No lo creo, parrots don't fly in such weather," she thought to herself.

One by one, then too many to count, cadences of water drops interrupted by yelping parrots and swooshing cars greeted the reluctant sunrise and la Chicana too. Suddenly, the city's chorus echoed a familiar tempo from previous months. She rose from her seat to open the dusty shades. She seemed to be more awake than before, taking note of each minute sound, inhaling the sage she had set to burn and counting cars as they scurried by. The writer had easily forgotten about La Fuente below her window stoop. It had been turned off for nearly six months or perhaps a few months longer, the days had since turned into frivolous distractions from what she was set to do.

Until now she had refrained from opening the window's blinds and the city's gente had stopped searching for the wishing well altogether.

"¿Para que creer en eso? No need to believe in a wishing well if it no longer offers hope," she once thought.

But on this day, she heard the familiar hums from before. It had been some weeks since la Chicana could sleep a whole night or even put words on the page. She was determined to see the water falling—she hoped this might rouse her inspiration as she bore witness to more of the city's dark stories.

There, next to La Fuente was an apparition, similar to the other images it reflected before it went dry. The scenes were like unsung hymns, quiet poems spilling over the fountain's edge, and sometimes even holograms portraying nightmares and dismay. She thought it was her muse, like an aleph to see more than truths of this golden city, la ciudad de oro as la gente say. This time the letters formed words, words formed figures, and a middle-aged man and elder woman in a wheelchair came to life.

She may be his mother.
He may be her son.
She in a wheelchair,
both a home they had none.

She reflects her years on the water.
He wades to find some tiny silver.
She wrings hope between her palms,
both sigh for yesterday and tomorrow.

He digs through his weathered pockets,
she waves tiredly to never mind.
He holds a copper coin in his fingertips,
both smile for once upon a time.

She tosses their last thoughts into the wishing well.
He clasps his her hand, and they both waltz away.
Both in search for a better day.

Immediately, la Chicana was reminded about the months before the well was completely drained. When familiar faces and all too common scenes began to surface in the artist village, when she desired to leave her desk and wanted to know more about the gente, she wanted to cast her own wish too. But she was forced to remain on the second floor, forced by her will to write and scrutinize the city's alternate truths. She simply stared out the glass pane, wondering if anyone else believed in La Fuente's stories too.

*

Many, many months before, when la Chicana started to see scenes occur around the fountain, she also began to doubt her perception. The passers-by who never seemed to notice or show concern for all that went on around them bewildered her. She stared more closely after she was woken in the middle of night by terrifying voices and the stench of burnt bacon, she thought she was caught in the world between sleep and reality, where everything was still a blur but too familiar to be a dream.

Devilish cackles called to her from the promenade where La Fuente echoed raindrops as it always did back then. As she made her way towards the blinds, she wrapped her knitted blanket around her shoulders and let it trail behind her. Once there, she peeked out just to see if anyone was really under her window. Both the disturbing language and horrific images woke her out from what she thought was just a daze.

"Oh you should've seen how I roughed up this one homeless man, just as crazy like the rest."

"Oh damn, what did you do, did you trick the crazy?"

"I let him sit on the bench thinking he was alright, as if he could just sit there. Then I walked behind the bench and startled him, just to make it look like he was aggressive and cuffed him right then and there. Oh man, he jumped so high and started screaming. I took him away, not like anyone is gonna miss him or any of those other crazies they are holding up at the old bus depot."

The beasts were dressed entirely in black with horse hoofs instead of shoes and crab claws at the end of their arms, snapping in the air as they spoke. Pig snouts made the rest of their faces invisible and they snorted grotesquely right before they began each sentence. La Chicana couldn't believe what was below, they spoke like humans but looked like the devil her abuela said roamed in the discos of small towns of Jalisco. There, it appeared with a burning aroma too but the evil spirit had a chicken's foot and a tail.

There was a trail of water that stretched to the bottom of the horse hoofs and originated at La Fuente. This prompted the writer to jot down notes quickly on a scratch paper, even attempted to take a photo but by the time she snapped it, the dreadful figures disappeared into the shadows of the artist village. The next day she recounted the hallucination over and over in her head, she couldn't convince herself to tell anyone. She was scared the snouted beasts would know and return to trap her too. So she merely discounted that night as a moment between sleep and awake, and since then she continued to lose sleep every day.

*

The second time she was stirred out of bed, she didn't hear parrots or shrieking laughter. This time vibrations from her window made her think she was experiencing an earthquake. At the same time, a tumultuous spotlight shone from the sky, peeking through the blinds, as if it was mid-noon on a sunny day. Again, la Chicana peered out to the promenade—yet ready to run back into bed should she see the beasts huddled under her window again.

"Ay no puede ser, how can it be morning already?" She said it aloud, doubting her own mental state.

At first glance she saw no one in the walkway, just La Fuente sprinkling in harmony. Suddenly, a god-like voice reverberated over the area, "¡Alto, deja de correr! Freeze, stop running!"

The spotlight, which came from a helicopter above, moved up and down the artist village. Then the stern voice casted a second spell, "A brown male between the ages of 14 and 18, wearing a black sweatshirt and possibly armed, headed southwest."

And just as the last word was heard, la Chicana saw a young man running by La Fuente, practically stumbling into the water as if trying to find a way into another world. When he was rushing to stand from his fall, he looked up and his eyes reflected the writer.

The brown man was merely a boy trembling with clenched fists.

"Un Niño? Who's chasing him?" The writer wondered to herself.

Millions of thoughts clustered in her mind. She remembered reading of all the gang problems the city was promising to minimize, so the newspaper headlines said. She remembered the statements from countless familias who reported their teens missing and murdered by la policia.

For a split second the brown boy with the black sweatshirt stood next to La Fuente staring at la Chicana like la muerte stares from a distance on those who are moments away from their last breath. But coins jingling at a short distance made him turn his head back. La Chicana was confused by the constant jingle-jingle. The boy ran away from the sound immediately, vanishing from the writer's viewpoint. The clashing of coins was getting louder and included a new tune the writer had not heard in the artist village before. It started whimsical like chimes, then familiar like the mixed melody at a carnival or carousel. As the jingling got closer, a silhouette of a person began to pixelate next to La Fuente. There stood a white man in a dark suit and shiny buttons on his wrists. Like the beasts from before, his face was invisible. He walked slowly, almost floating above the brick path and fixated on the direction the brown boy ran. Once under la Chicana's window, he placed his left hand in his pocket. It was then she heard the jingle, jingle again, this time an unbearable pitch, which caused her to cover her ears and scrunch her eyes. When the noise moved on, she opened her blinds immediately. La Fuente sat alone in the silence.

That same night she wrote the brown boy's story, described all the sounds she heard as a carousel's lullaby.

*

On the third evening the writer stayed up all night recording another dark tale from la ciudad de oro, it began with a remark on the fountain's appearance.

"The water is so enticing, even la luna is dancing with it too," she said it to herself after glancing up to smile at the full moon.

La Fuente had been cleaned that day by el hombre who always walked through the artist village while pushing his bike, he picked out trash and a beer can floating on the surface. The writer wrote about el hombre, mainly because she was touched by his kindness.

> El hombre, the one who rides a bike to work daily, then pushes it once on the sidewalk, to be careful, to look over his shoulder, to make sure la policia hasn't made him a suspect.

> El hombre, un mexicano, un paisano, a labor worker, a back of the house employee, he wears a helmet, carries a backpack and calloused palms between morning prayers.

> El hombre, the one with dark skin and a never ending day, he smiles when smiled upon, never late just in a hurry, he is the only one who opens his wallet each time the homeless man seeks some change at La Fuente.

Then later that evening the fountain's pond was filled with continuous ripples as if it giggled or danced endlessly to a

silent song. The little waves of happiness hypnotized the writer. In its peacefulness, La Fuente outlined a twirling shadow, a curvaceous shape swaying the writer's attention to seek who was nearby. There she was, like a waltzing butterfly celebrating it's new stage in life for the first time.

With the perfect shade of caramel, her bouncing curls totally complimented her walnut-brown skin. She had her own stride—La Fuente's gyrations guided the mythical being into sensual twists and turns—like a princess at the ball, adorned in a fitted, ivory sequined dress, especially made to fit her.

"La reina de reinas," Chicana said it aloud and in awe.

She knew no other character would ever compete with the queen of La Fuente, nor would the beasts come chasing such a bold beauty. But la reina floated away as all the other fairy-tale characters had to.

Later it became known that the lovely reina she witnessed and wrote about was in fact a real person, not only an illusion or figment of her imagination brought on by La Fuente's charm. The newspaper headlines disclosed the uncanny premonition.

"Transwoman viciously attacked downtown, police still seeking hate crime suspects"

A few weeks later, the newspapers disclosed the survivor's name. Marisol lived to tell her own story and credited her friend Zoraida for saving her life—the writer gasped at the coincidence and started to think the fountain was more than just part of the golden city's decor.

*

The fourth time was in the middle of the day, something radiated from the wishing well, making the writer look down once again. An elder Mexican woman, with a black, knitted shawl around her shoulders stood with both feet planted sternly at the west end of La Fuente, like an old oak tree with roots sprouting through the weathered bricks beneath. With her back to la Chicana, all that was visible was a shimmering coin in her palm. The old lady spoke rambunctiously to herself, turning her head to the right a number of times.

"Ya se Modesta, you do not need to keep yelling at me. This is just the last thing I want to do, yo si creo en estas cosas. I know I'm just a vieja to most gente, but I believe in what I believe in, and not you or any of those city officials are gonna tell me otherwise."

"Esta viejita doesn't seem like one of the regular home-less persons or part of La Fuente's mirages," the writer thought to herself.

"Y te dije, I don't care if there are no other coins in there, this nickel means nothing to me if I don't get to keep my house! Now the sooner you let me do this, the sooner we can go meet my lawyer."

"Lawyer? Ay pobrecita viejita, I wonder what type of trouble she's in," by now la Chicana couldn't turn her ear away and decided to open the window to listen carefully.

"Sshhh, dejame pensar Modesta!" This time the old lady waved her right arm up and down towards no one.

"Ay dios, this viejita is probably seeing a ghost or visions like me," this time she giggled after her comment and decided to ignore the whole scene but she just couldn't block out the old lady in the background.

"Ok Modesta, that was my last wish. Now we can go see my lawyer, I am not going to sell my house to the city or those developers, I'm doing everything in my power to keep it, vas a ver, vamonos!"

And at her last word, a train whistle bellowed loudly just

under the window. La Chicana jumped immediately out of her seat in search for the old lady. By then, la viejita was so far up the path that she never got to see her face. But there was a young woman in a long dark garb, buttoned up to her chin and fitted from the waist up, like the prairie style dresses from the 1800's. The woman's black hair was pulled back into a bun, when the writer looked down to the lady's feet she saw nothing but a shadow on the concrete. This lady followed after la viejita. And just behind her, two of the snouted beasts scurried after them, all disappearing past the promenade's end.

Just when the writer had convinced herself she'd never see or write about those evil beings again, she found herself shaking and writing down the name of the infamous "White Lady" of the train tracks, "Modesta Avila"—better known in local history as the county's first convicted felon and state prisoner.

*

One of the last times the writer witnessed a story unfold at the wishing well, fell early morning when the town's criers called for the first time. In la ciudad de oro it's the lime-green parrots that begin and end the days. They have a way of setting the tone for what's to come, if they don't do the announcing the gray clouds and rain do. One particular morning when the writer was frying eggs and boiling water as she always did, she was startled by a mob of shrieking voices.

"Rrrise, rrrise, rrrise, rrrise!"

She immediately ran to open her blinds in search of a protest or cluster of confused homeless folks. And just then she heard the chants again.

"Rrrise, rrrise, rrrise, rrrise, rrrise, rrr..."

They circled out of the pond, swirling around the gilded pedestal and shooting straight up into the sky. First she counted twenty, then thirty more and it seemed like they were never going to stop materializing out of La Fuente. They recited the

same word simultaneously and appeared
to be identical, like bombs delivered from
Black Hawks into the heart of Syria if the
world were upside down and the golden
city transformed into ruins.

""Rrrise, rrrise, rrrise, rrrise!"

The vivid scene froze la Chicana. It was the middle of the
day, she was wide-awake—there was not a single circumstance
that could convince her it was just a mirage or part of a dream.
She wasn't sleeping. She wasn't even staring at a blank screen.
Just then, her eggs began to sizzle and she heard her teapot
whistling. She sprinted to the stove. Jerked two knobs. And
trampled over her bed on the way back.

The parrots kept darting towards the sky, shouting their
mantra across the artist village. But now there was a young lady,
around twelve years old, walking towards the fountain. She
didn't seem to notice the parrots or anything else. She sat down
at La Fuente facing in the direction of the writer with her nose
buried in a little notebook. Not too long after, her father showed
up handing her a hot beverage. He spoke to her with such
gentleness that the writer could barely hear him in between the
screaming parrots.

"Rrrise, rrrise, rrrise, rrrise!"

"Hija, stay here at the fountain, I'm going to the bank.
When I'm finished, I'll come back and get you," he said it softly,
kissed her on the forehead and glanced back a couple of times
as he walked away.

La Chicana couldn't understand why neither the father
nor daughter noticed the parrots and just as she was about to
rub her eyes to confirm she wasn't daydreaming, the emerald
whirlpool and the girl's father disappeared too.

By then the writer didn't know what to expect. She
tried to put it out of her mind by going on with her morning

ritual—fried eggs, two corn tortillas, and hot black coffee. She even burned more sage to cleanse her unsettling suspicions. While eating slowly, she kept an eye on the young girl. After awhile the girl began to sip her drink and eat some pink bread she had wrapped in a napkin. The writer went on with her day but checked on the young girl every hour until she observed the girl looking over her shoulders repeatedly. And that's when la Chicana spotted the snouted beasts again. This time they tipped toed on their hoofs, as if they were trying to sneak up on someone with their crab claws perched closely just under their slimy snouts. They skidded from light post to light post, zig-zagging from one end of the brick path towards the fountain. One of the fiends was only a few feet away from the young girl.

"Oh no, they are after her!" La Chicana thought to herself.

She struggled to open the window, stumbling over her own hands and failed to grasp the handle steadily. She had planned to shout to the young girl to run, but just then the parrots began to return to the fountain and stunned la Chicana once again. So much so that she took note of their flight pattern and counted them aloud.

"...nineteen, twenty, twenty-one, twenty-two..."

This time they traveled in reverse, spinning around the pedestal and diving into the pond. As they entered one by one, the pond took shape of a vortex, creating a tunnel into the depths of the earth. With no real motive or her father in sight, the young girl dashed after a couple leaving the artist village, all three of them walked out of the writer's view. Not knowing what was true or what was part of the fountain's spell, the writer became worried for the lost child and the missing parent. Before she could think more about it, the snouted beasts pulled her away from her thoughts. One after another they jumped into the fountain's tunnel, then it all vanished within a blink. La Fuente trickled water as if nothing had ever passed through it.

It all reminded la Chicana of a similar fable where parents deserted their children in a black forest, forcing her to wonder why anyone would abandon their young daughter in the middle of a this golden city.

*

When the writer first saw the man being questioned by la policia, she thought it was just an ordinary day when La Fuente was just doing what it was meant to do—a landmark of the city's center, a place where artists and art alike encircle its presence. It wasn't until she saw one of the two policemen point to the graffiti on the local gas building that she noticed their hoofs.

Yet, she knew it wasn't the man who left his mark on the white wall. In fact, it had been a woman. The writer didn't bother to report it because it was obvious the woman was homeless and disturbed by her predicament. And well, she had witnessed many folks in the promenade dismiss or agitate the local homeless community just to get them out of their sight and away from their doors.

The conversation with the man they were accusing began to escalate. They pointed to his hands, and stained pants, and with those actions la policia's hands transformed into crab claws and they began to snort in between words. The innocent man was of brown skin, no more than five-foot-nine with a disheveled appearance. His hands were speckled with paint, mostly black and red. His pants seemed to be his personalized palette, displaying a mesh of earth tones and grays. He kept shaking his head in disapproval, pleading for them to let him return to his work.

"Sir, sir, you got the wrong person, I just took a short cut and now you want to accuse me of this? That's not even what I do!"

"Gruff, gruff, oh really what is it that you do?"

"I paint houses, I paint apartments, I'm painting a mural in

Logan Barrio right now too."

"Gruff, gruff, and you expect us to believe you didn't paint this as you were passing through?"

"I don't even have any paint on me and that looks like a damn sharpie mark! I don't do that type of painting."

"Calm down sir, you seem to be getting aggressive, gruff, gruff" one of the snouted figures responded while the other placed his claw on his holster.

La Chicana was at a loss, she knew she couldn't intervene and she would look crazy yelling from her window, she wasn't even sure they could hear her. And after all the other visions she had witnessed around La Fuente, she knew how this one was going to end, so she stretched out this fable onto a page like the others.

*

Until her eyes met with the brown boy running from the faceless man with the jingling coins in his pockets, she didn't think anyone even knew she was up there. She only had access to her own courtyard outside her front door. Miraculously, the local newspaper appeared every morning on her doorstep, she'd see the sun shine on the succulents adorning the empty walkway and in the green shrubs in artist village, but she never knew how she became trapped or how to climb out of her only window. Although she was on the second floor, it was of unusual height yet sound traveled up to her so clearly, sometimes painfully magnified, other times in ghostly whispers.

Once the wishing well's water was turned off, part of her felt relieved. She knew she wouldn't be seeing those snorted beasts again and all the spirits and history that haunted la ciudad de oro—often making her question her own sanity. But she also missed it. She missed the homeless folks who bathed in the pond and the children who sifted their small palms through the sprinkles. She longed to see people cast their wishes. Even though some outcomes are inevitable, gente made her believe and hope for more.

So on this new day when La Fuente flowed water again, she knew what was to come, it was up to her to separate the realities from the golden city's past lives, she knew she had to write it all down to let la gente decide what is true.

About the Author

Developed through a one-year onsite artist-in-residence at CSUF Grand Central Art Center, *SanTana's Fairy Tales* is a visual art installation, oral history, storytelling project initiated by artist/author Sarah Rafael García. The project integrates community-based narratives to create contemporary fairytales and fables that represent the history and stories of Mexican/ Mexican-American residents of Santa Ana (inspired by the Grimms' Fairy Tales).

The multi-media installation, created by the artist in collaboration with local visual, musical and performance artists, presents bilingual single-story zines, a fully illustrated published book, an ebook, and a large format classical book with graphic art by Sol Art Radio's Carla Zarate. Viento Callejero's Gloria Estrada, in collaboration with local singer/songwriter Ruby Castellanos and members of the Pacific Symphony, composed an "open book" sound performance for the project. The entire collection was translated by poet Julieta Corpus and published in collaboration with Raspa Magazine. Digital archives for the project were researched and obtained by Mariana Bruno, CSUF Graduate Student in the Department of History. The ebook is being produced by Digitus Indie Publishers.

Sarah Rafael García is a writer, community educator and traveler. Since publishing *Las Niñas* in 2008, she founded Barrio Writers and LibroMobile. Her writing has appeared in *LATINO Magazine*, *Contrapuntos III*, *Outrage: A Protest Anthology For Injustice in a Post 9/11 World*, *La Tolteca Zine*, *The Acentos Review*, among others. In 2010 Senator Lou Correa honored the artist with the "Women Making a Difference" award and in 2011 she was awarded for "Outstanding Contributions to Education" by the Orange County Department of Education in California. Sarah Rafael is also a Macondo Fellow and an editor for the *Barrio Writers* and *pariahs* anthologies. She obtained a M.F.A. in Creative Writing with a cognate in Media Studies in May 2015.

SanTana's Fairy Tales was supported in part by The Andy Warhol Foundation for the Visual Arts, through a grant supporting the Artist-in-Residence initiative at Grand Central Art Center.

Cuentos de Confianza y Justicia

    Cuentos de SanTana combate las leyendas y mitos de la narrativa dominante de la cultura blanca y reconoce a la frecuentemente-ignorada Raza. Los cuentos de hadas suelen reflejar el tiempo, lugar, y situación de cuando fueron registrados, y García infunde las suyas con la gente y los lugares de la historia de Santa Ana: Modesta Ávila, la primer criminal del país y Billy Spurgeon, el fundador de la ciudad; Parque Delhi, la tienda de licores en McFadden, Biblioteca Newhope, Centro Cívico, Parque Chepa en Logan, la Escuela Intermediaria Lathrop, Dulcería Alva, y más. Los cuentos de hadas escritos por García contienen los aspectos mágicos tradicionales, tales como objetos inanimados, fantasmas deambulando, y gente desapareciendo. Ella presenta gente ordinaria y villanos narrando y entrando y saliendo de los cuentos. García es una testiga viajando a través del tiempo amplificando---porque no creo que ella diría ser la primera---un testimonio vital, y del dolor entretejido en los cuentos, es una reportera fatigada por la guerra quien espera que esta petición sea la última de la comunidad.

En su cuento de hadas, los padres de Héctor y Graciela entablan La Plática con sus hijos. Para muchos jóvenes Afro Americanos, La Plática es sobre qué hacer cuando un oficial de policía te detiene. García les recuerda a todos que para muchos jóvenes Latinos existe una segunda plática que los padres deben tener con ellos (si es que lo saben o no y muchos no lo saben): qué hacer si regresas de la escuela y descubres que tus padres han sido deportados aún cuando "lo único que siempre desearon fue una vida mejor." "Un puñito de alegría.'"

Quizás ya habías leído algo sobre Zoraida. O a lo mejor viste fotos y videos de esta chica local de Santa Ana, una estudiante vibrante, y activista de la comunidad LGBT posando con amigos y familia cuando los medios de comunicación anunciaron la muerte de *otra* mujer transgénero asesinada por un hombre quien primero tuvo sexo con ella. García transforma el bello espíritu de la sencilla Zoraida al de una "Hada Madrina" quien aprende como sanar de su madre y ofrece curaciones o la muerte a otras mujeres transgénero.

El dolor y el sufrimiento descrito en estos cuentos de hadas quizás dejen al lector descorazonado. El Señor Billy Spurgeon declara, "Fundé esta ciudad en 1869...los cambios suceden, y todos deben acoplarse, si no les gusta, pueden marcharse" y "gracias a mis cambios, nosotros los gringos...nos convertimos en la mayoría...vete acostumbrando chico." Tal como el hombre en la Casa Blanca lo tuitearía: Severo. Triste.

Pero si escuchamos más de cerca al Señor Harry quien escucha a la gente en los murales del centro de la ciudad, "continúan recordandome...ellos también tienen un lugar aquí, y en nuestra historia," Los cuentos de hadas de García nos incitan a no hundir nuestras cabezas en la desesperación, sino a recordar. No importa de dónde provenimos, ya que las mismas fuerzas están trabajando, recordar cómo éramos. Recordar quienes somos. Recordar a quien y que nos importa. Recordar lo malo que puede llegar a ser. Recordar nuestras partes feas. Recordar nuestra belleza, nuestra entereza. Recordar por qué estamos aquí y qué esperamos dejar. Recordar que puede empeorar si es que no lo detenemos. Y resistir. O *continuar* resistiendo.

Debemos hacernos fuertes igual a Modesta Ávila quien protestó el mísero pago de un ferrocarril por una propiedad en los 1800. García utiliza los "pericos verde-limón que empiezan y terminan los días" que vuelan a través de los cuentos de hadas para entregar su mensaje, "Levántateee, levántateee, levántateee!"

Como "La Chicana" en "La Fuente de los Deseos" quien aparenta estar un poco loca al ser testiga de injusticia tras injusticia. García no sabe si haremos algo para remediar lo negativo que existe hoy en día. El hoy, en "La Ciudad Dorada", Anaheim, (el barrio en Santa Ana y la ubicación del "Lugar Más Feliz del Mundo" donde la Mamá en "Sólo Una Casa" trabaja y "nunca está feliz") y más allá, nos enfrentamos con historias reales más absurdas que "el agro moreno" quien captura a los niños nacidos en los Estados Unidos en "Héctor y Graciela", arroja a la hermana dentro de una jaula, esclaviza al hermano, y planea repatriarlos a México hasta que Héctor lo engaña para que entre en una jaula y lo encierre.

García escribe, "No es necesario creer en una fuente de los deseos si ya no ofrece esperanza." ¿Creemos aún? ¿Tenemos esperanzas? De cualquier forma que respondamos, qué haremos antes de que "La Fuente se seque por completo"? ¿Antes que ICE nos arrebate a nuestros seres queridos? Las bestias y los demonios acechandonos no tienen "hocicos de cerdo" o "pezuñas de caballo en vez de zapatos y pinzas de cangrejo donde termina el brazo." Y no todos portan uniformes y a veces llevan trajes. Los cuentos de hadas de García son armas poderosas contra lo que se aproxime y lo bello y mágico es que siempre habrá espacio para más.

LA
CANCION DE CUNA
DEL CARRUSEL

En otros tiempos existía un carrusel que tejía felicidad girando y girando para los habitantes de nuestra pequeña ciudad, y este carrusel era más que una atracción de entretenimiento. Gente de todas las edades pasearon sobre sus caballos de metal decorados en turquesa, violeta y oro. Las barras de oropel acumularon huellas digitales de jóvenes y viejos por igual. El dosel azul y anaranjado proveía sombra mientras resonaban las risas y los gritos de "¡Amá!" y "¡Apá!" Por respuesta, los padres agitaban la mano vigorosamente a orillas del carrusel. Gire y gire hiba el carrusel—los caballos relucían en días soleados, invitando a los niños a imaginarse un sitio diferente. Un paseo que detenía el tiempo con una tonada de carnaval, un paseo que siempre exponía una perfecta tarde de domingo. Algunos niños paseaban solos, otros con sus madres o su abuelo. Algunos jóvenes bajaban y subían del juego mecánico como si bailaran al tamborazo que se escuchaba desde algún carro low-rider pasando por allí. Los espectadores veían la bandera ondeando allá arriba y a las luces titilantes por debajo a lo lejos, saboreando sus mangos con chile y limón en la plaza, a veces presionando los labios para aliviar la ardedura que ansiaban.

Hace muchos años, esa era la vida del carrusel. Aún recuerdo cuando el cambio inició para mí. Era casi la medianoche y mis tenis me esperaban debajo de la ventana en mi recámara. Sabía que tenia que actuar con rapidez para evitar despertar a Apá de su muy necesario descanso. Tenia que ver por mí mismo si el carrusel fantasma existía, tenia que enfrentarme al Señor Billy también. Pero no logré salirme sin despertar a mi hermano Daniel quien dormía en la cama de abajo.

"Saúl! ¿A dónde vas? No te vayas, ya sabes lo que dice Apá sobre andar allá afuera después del anochecer".

"Daniel, ¿no quieres saber que le pasó al carrusel? Vas a ver, primero es el carrusel y las tiendas de quinceañeras, pronto serán los fruteros, y algún día podríamos ser nosotros!"

En cuanto las palabras fueron escupidas por mi boca, salté de la cama de arriba completamente vestido y me puse los zapatos. Daniel continuó gritando en susurros pero lo ignore y salí por la ventana. No me siguió. Tenía miedo de lo que pudiera ocurrir, siempre tenia miedo de que deportaran a nuestra familia y quedarse solo.

Antes de que quitaran el carrusel de la Calle Cuatro nuestra gente había convertido el Mercado de Fiesta en su punto de reunión, un hogar fuera de nuestro pueblito. En los domingos las familias llegaban en su ropa de iglesia, los padres en sus botas brillantes, las madres en sus vestidos floreados, las niñas con largas trenzas, los niños riéndose tan fuerte que era contagioso. Los dueños de negocios se paraban afuera saludando a los clientes con apretones de manos fuertes, preguntándoles como había ido su día mientras que un recorrido de pericos graznaban bajo un cielo azul y el quiosco cercano presentaba un trío tocando la guitarra, un acordeón y guitarrón. Y girando y girando el carrusel seguía—justo antes del anochecer los niños pequeños se correteaban unos a otros en círculos y los compadres hurgaban por monedas extras en los viejos bolsillos de sus pantalones vaqueros, esperando poder pagar una última vuelta en el carrusel. A veces, se podía ver a los jóvenes enamorados ruborizarse al voltear una esquina después de recibir una mirada seria de una vecina paseándose por allí. La mayoría de los domingos, podías escuchar a las madres recientes chismeando mientras arrullaban carriolas hacia enfrente y hacia atrás, como sincronizadas con la melodía del carrusel, alguna veces se inclinaban a sus bebés para dormirlos con una canción.

A la rorro niño
A lo rorro ya
Duérmete mi niño
Duérmete mi amor.

Al principio, sólo conocíamos a nuestra ciudad bajo la fachada del carrusel. Era el punto de reunión de nuestra familia luego de cruzar. Atravesé la frontera tomado de la mano de mi tío mientras nuestros padres se escurrían por las colinas con un Coyote. Mi hermano Daniel hiba en el vientre de nuestra madre, sin poder jamás recordar el duro viaje. Cuando nos reunimos, yo hiba montado en un caballo blanco con la montura y riendas violeta. Desde el carrusel, vi a mi padre agitando la mano, sus ropas polvorientas resaltaban entre el resto de las familias. A su lado, mi madre sonreía de oreja a oreja mientras lágrimas rodaban por su cara—el carrusel con el tiempo se convirtió en una tradición del domingo. Todo lo que mis padres querían era una vida mejor. "Un puñito de alegría," era lo que decía Amá.

Años después, el carrusel y el quiosco fueron remplazados con un gran árbol y un círculo de bancas, nuestra pequeña ciudad de muchos Mexicanos salió en los encabezados, como había sucedido varias veces. Pero ésta vez no fue una tragedia partidista atrayendo la atención de todos como el encabezado sobre *violencia pandillera*, o así lo habían dicho algunos periódicos. Hasta hubo un hombre en Nueva York que escribió sobre el *continuo resurgimiento* de nuestra pequeña ciudad. En el 2011, la mayoría de los periódicos hablaron altamente de ese gringo que amenazó con sacarnos de nuestro hogar. La gente decía que los bolsillos del Señor Billy Spurgeon estaban llenos de viejas monedas de oro que acariciaba con la punta de sus dedos antes de que las tiendas para quinceañeras desaparecieran y la policía apareciera montada a caballo. Decían que usaba una gorra blanca puntiaguda para dormir, si es que su tipo dormía en realidad. Aquellos que lo habían visto decían que siempre se adornaba con una sonrisa diabólica para hipnotizar a nuestros líderes comunitarios y espantar a los dueños de negocios en la Calle Cuatro. Así que naturalmente cuando escribieron sobre el nuevo plan, Señor Billy Spurgeon dio su opinión a los periódicos, "Este cambio atraerá a los clientes *urbanos*, *jóvenes*, las quinceañeras y los carritos de fruta son cosas del pasado. ¡En vez de un carrusel construiremos un *Parque de Juegos* urbano!"

En ese tiempo vivíamos en una pequeña casa con nuestros padres y nuestro tío y su familia también. Compartíamos una pequeña habitación y aún dormíamos en las mismas literas que nuestro tío nos había comprado cuando llegamos a la Ciudad de Oro. Nuestro tío había estado viviendo en nuestra pequeña ciudad por más de una década cuando fue al encuentro de nuestros padres a Tijuana. Nuestros padres esperaban tener su vida—nuestro tío había recibido sus papeles a través de amnistía en los 80s, les prometió un buen trabajo y una vida mejor para nosotros. Pero cuando empezaron todos los cambios me volví inquieto, perdía el sueño y tenía demasiado coraje para enfocarme en mi último año en la escuela

secundaria. Poco después la verdadera
tragedia comenzó. Jóvenes empezaron
a desaparecer de sus camas, y nuestras
madres comenzaron a llorar una canción
de cuna.

Este niño lindo
Que nació de mañana,
Quiere que lo lleven
A pasear en carcacha.

Nuestra pequeña ciudad sigue siendo azotada por la
peste de ese ciclo vicioso. Nuestros lugares y gente han estado
desapareciendo por más de un siglo. Nadie lo hubiera notado
si hijos e hijas no empezaran a dejar sus casas a medianoche.
No les hubiera importado tanto si sus propios adolecentes no
empezaran a desaparecer. Algunos dicen que los nuevos bares
y salones de tatuajes en la Calle Cuatro nos distrajeron. Otros
dicen que perdimos el rumbo a casa desde que cambiaron el
nombre a *East End* y removieron nuestro valioso sitio histórico.
Pero sin que nuestros padres lo supieran, ya teníamos nuestros
propios planes. Yo fui uno de los muchos jóvenes que se paró
antes el Señor Billy Spurgeon.

Cuando salí por la ventana de mi recámara, corrí de
allí rápidamente para asegurarme de que Apá no me viera en
la oscuridad, atravesando los callejones de apartamentos y
saltando patios en la Calle Lacy. Una vez que llegué a Calle
Cuatro dejé de correr, más que nada por no querer alarmar a la
policía patrullando el área. Calle Cuatro ha cambiado bastante
desde que llegamos inicialmente. El mercado local de comida
Mexicana aún sigue allí, pero al encaminarse hacia el centro de
la ciudad cualquiera puede notar los cambios a sólo unos pies
de distancia. Algunos sitios están bien iluminados, mientras que

las tiendas para quinceañeras permanecen a oscuras, algunos muestran sus nuevos horarios en la puerta principal, otros anuncian una venta de clausura. La gente caminando por Calle Cuatro de noche no son gente, sólo son cuerpos tropezándose carcajeándose a lo lejos como lo hacen los pericos de la ciudad en el día. Muchos barbudos recién llegados con tatuajes, pero no la clase de tatuajes que los vatos presumen en el territorio Loper's. Aún así los barbudos reclaman el *East End*, como los cholos reclamaron las esquinas de la Calle Pine. No voy a mentir, parte de mí disfrutó el nuevo trabajo de pintura en los viejos edificios y ver La Cuatro transitada por la noche. Pero noté como esa gente comenzó a mirarme; de la misma manera como ven a Apá cuando entra a un restaurante en su ropa de trabajo. Pero no podía permitirme dejarme distraer. Faltaban cinco minutos para la medianoche—no quería perder al carrusel fantasma, así que continué caminando hacia el Teatro Yost.

Por décadas, el carrusel formaba parte de nuestra pequeña ciudad. Cuando el Señor Billy Spurgeon decidió cambiar el área de nuevo, tuvo muchos simpatizantes. Hasta el Alcalde apoyó la *revitalización,* dándole mas feria al Señor Billy Spurgeon que nuestra gente pudiera llegar a ahorrar. Como dicen los gringos, él tenía al Alcalde en su bolsillo o quizás sólo tintineaba sus monedas de oro otra vez, entretanto la gente seguía coreando en las calles, "¡La Cultura no se vende!" Pero los padres creían que sus niños hiban en busca del carrusel fantasma, deseando viajar a través del tiempo, deseando aquello que existió en el pasado, o a lo mejor aún deseábamos las agrias y dulces golosinas que Calle Cuatro antes ofrecía.

Este niño lindo
Que nació de día
Quiere que lo lleven
A la dulcería

Al llegar al paseo, casi no podía distinguir el Teatro Yost; estaba en completa oscuridad. Vi la hora para confirmar que la medianoche estaba a tan solo unos segundos. El árbol y las bancas estaban solas en el Mercado de Fiesta. A mis espaldas, oí el tintineo, volteé hacia todas partes pero no había nadie cerca. Y justo cuando volví a voltear para mirar hacia el árbol, el carrusel apareció. Era translúcido como la niebla y giraba lentamente en silencio, flotando sobre la banqueta, creando una sombra negra por debajo. La gente paseaba sobre los caballos metálicos como lo recordaba de mi primer paseo en el carrusel. Los adolecentes y los viejitos paseaban en silencio, sus rostros pálidos sin ninguna emoción, algunos voltearon a verme pero se desvanecían al girar el carrusel. Froté mis ojos con incredulidad. Cuando volví a enfocarme por segunda vez escuché el tintineo de nuevo, pero ahora seguía el ritmo de una melodía. Al principio, no podía conocer la canción del carrusel pero sentí un bienestar que no había sentido en un largo tiempo. El carrusel había adquirido un color brillante y la tonada se escuchaba aún más fuerte. Todo me llamaba, obligaban a mis pies a que dieran un paso al frente, como si fuera un estudiante de primaria atraído por las luces intermitentes y la melodía del carnaval otra vez. El tintineo atravesó, forzándome a continuar caminando. Antes de darme cuenta ya estaba en fila esperando para pasearme en el carrusel, parado detrás de una mujer que antes caminaba por los estacionamientos vendiendo tamales desde su coche. Cuando volteó a verme noté sus ojos, eran negros, totalmente negros. Los tipo de ojos que Amá decía tenían los espíritus cuando no podían cruzar porque habían muerto antes de tiempo.

Al instante, me encogí, recordando donde estaba, e inmediatamente el carrusel desapareció. Pero el tintineo se oía más cerca que antes. No podía más; me cubrí los oídos y volteé para ver una vez más. Allí estaba la imagen de un hombre, llevaba un traje negro con botones relucientes en los puños. No podía distinguir su rostro. Lentamente, puso su mano izquierda en el bolsillo. Fue cuando volví a escuchar el tintineo, tintineo otra vez. .

"¿Cómo te llamas?" El hombre habló.

"Eh, tengo que irme a casa. Sólo tomaba un atajo por el paseo." Le respondí rápidamente y tomé dos pasos hacia atrás. No quería ver su cara. Tenía miedo de que sus ojos también fueran negros.

"No tengas miedo, sólo quiero saber que piensas del nuevo paseo. ¿Acaso no se ve mejor con todos los cambios?" Continuó hablando como si me conociera, como si supiera lo que estaba pensando.

"¿Disculpe? Lo siento señor, yo solamente pasaba por aquí."

"¿Pasando por aquí? ¿Qué no estabas en fila para un paseo en el carrusel? ¿Qué no has estado aquí desde que tus padres cruzaron la frontera?"

"¿Quién es usted? ¿Cómo es que sabe eso?"

"Saúl, yo los conozco a todos en esta ciudad, ésta es mi ciudad. Fundé esta ciudad en 1869, mucho antes de que tú estuvieras aquí." Habló sin ningún inseguridad. Habló como si fuera el Señor Billy. Se decía que al Señor Billy Spurgeon le resultaba imposible mantener sus manos fuera de los bolsillos, ni sus planes de desarrollo fuera de Calle Cuatro. Tintineo, tintineo era lo que la gente escuchaba a su paso, tintineo tintineo al estar hablando con los dueños de negocios, y tintineo tintineo hacían sus monedas de oro cuando susurraba en el oído del Alcalde. Debería haberlo sabido desde un principio que era el Señor Billy. Debería haber escuchado a Apá, el carrusel fantasma era parte del cambio también.

Este niño
Que nació de noche
Quiere que lo lleven
A pasear en coche.

Cuando primero pensé en buscar el carrusel, no me cruzó por la mente que lo encontraría. Pensé que era algo que los ancianos habían inventado, como los cuentos de México que mi abuelo me contaba por teléfono. Pero luego también se apareció el Señor Billy. Estaba listo para darme la vuelta y empezar a correr pero vacilé. Sólo podía pensar en el carrusel fantasma y la mujer de los tamales. Así que me volteé a mirarlo. Tenía que preguntarle, tenía que saber por qué estaba intentando deshacerse de nuestra cultura y de nosotros con tanto empeño.

"Oiga señor, ¿es usted Señor Billy? Ya sabe, ¿el dueño de todos estos edificios?"

"¡Sí, ese soy yo! Ya empiezas a entender, ami-go. Ves como no tienes nada que temer."

"Pero señor, sí tengo miedo. Tengo miedo por mis padres. T-tengo miedo por mí."

"Saúl, he permanecido en esta ciudad por mucho tiempo, los cambios suceden, y todos tienen que aceptarlo y si no les gusta pueden mudarse. Cuando yo primero llegue aquí, habían 174 familias de Mexicanos y Californios, y para 1870, gracias a mis cambios, nosotros los grin-gos como ustedes nos llaman nos convertimos en la mayoría. Así que estos cambios no son nada nuevo, vete acostumbrando muchacho."

Habló con tanta calma que esto hizo que mi garganta se secara y que un calorcito subiera desde los dedos de mis pies hasta la frente. Aún así no lo notó, continuó explicando sus planes.

"Qué no ves el Teatro Yost allá en la penumbra—antes

era un lugar que enseñaba películas en Español. Pronto será una discoteca y un sitio para conciertos, pronto estará lleno de gente que vendrá a esta ciudad sólo a gastar dinero. Lo verás, Saúl, tendrá luces intermitentes, atraerá gente de todos lados a tocar música. Será el espacio musical más grande en esta área. ¿Qué no te parece emocionante?"

Y con esas palabras algo se posesionó de mí, quizás fue la imagen de las caras agotadas de mis padres; quizás fue saber que no me permitirían entrar a un lugar así sin una identificación. Escupí palabras con el tono furioso de Apá.

"¡Pero no la música que nuestra gente escucha o puedan pagar! ¿Por qué tenemos que mudarnos? Nuestra gente llegó, estableció casas y negocios y luego los sacaron una y otra vez. Antes de que eliminaran el carrusel ignoramos la coincidencia. ¡Pero ya no podemos hacerlo! Y hoy somos cientos, millares de nosotros, casi diez veces más que ustedes los gringos. Señor Billy no puede impedirnos regresar a reclamar nuestra Ciudad de Oro, no puede impedirnos que compartamos nuestra cultura. Sólo espere, ¡se lo demostraremos!"

No tenía idea de donde habían salido esas palabras. Grité y me planté orgulloso como Apá cuando nos mira a mí y a Daniel jugando futbol. Pero todo lo que dije era cierto. En un siglo nuestra pequeña ciudad incrementó como el Océano Pacífico, olas de gente que habíamos arribado—y nos habían empujado hacia afuera. El Señor Billy abusó su poder para sacar a nuestra gente hasta que nos desvanecimos como las luciérnagas y las abejas. Arrojándonos de los límites de la ciudad, eliminándonos de *El Centro*. Forzándonos a emigrar una vez más. Mientras tanto, los hijos de nuestra ciudad caminan por las calles con los puños apretados y ojeras oscuras, negando el sueño.

Este niño lindo
Se quiere dormir,
Y el pícaro sueño
No quiere venir.

Este niño lindo
Se quiere dormir,
Y el pícaro sueño
No quiere venir.

No fui solamente yo el que se perdió esa noche o las noches siguientes. Otros, que se quedaron atrapados en este carrusel después de mí, me dijeron que mi desaparición provocó que mi madre se enfermara y le añadió tanto peso a las botas de mi padre que no volvió a salirse de la casa. También enfureció a Daniel y a otros jóvenes de *El Centro* a protestar en las calles. Me he paseado en este carrusel por mucho tiempo. Es bastante relajante, como si el tiempo se hubiera detenido sólo para mí, pero no puedo permitirle a nadie ponerse en fila.

Sin embargo muchos otros jóvenes también han salido en busca del carrusel fantasma. Todos terminaron desterrados y desplazados, forzados a entrar al más allá como chatarra pudriéndose en el depósito de la ciudad. Algunos huyeron a tiempo, otros se quedaron a enfrentarse al Señor Billy y su magia negra como lo hice yo. Tintineo, tintineo. Cuando decidí huir, ya era tarde. El Señor Billy tenía ambas manos en sus bolsillos—tintineo, tintineo fue todo lo que oí. Hacía mucho ruido, todo giró tan rápido, más rápido que ninguno de los paseos en carrusel. Tintineo, tintineo. Un helicóptero con una gran foco reflector voló en círculos en el cielo, yo confundí las luces giratorias policiacas con las intermitentes del carrusel, y otros después de mí hicieron lo mismo. Corrí y corrí, terminé en el depósito de la ciudad donde yacía el verdadero carrusel destrozado. Tintineo, tintineo. Sólo alcancé a ver un poco antes de que todo se volviera oscuro y ya nunca volví a ver a mi familia.

Cuando desaparecí, los encabezados de los periódicos dijeron que yo era miembro de una pandilla y dijeron que el carrusel era para atraer a la gente a que hicieran sus compras. Dijeron que yo llevaba una pistola en mi bolsillo, que luché y huí, dijeron que el carrusel era una inversión fallida. Tintineo, tintineo. Dijeron que no pertenecía a nuestra pequeña ciudad pero que definitivamente tampoco provenía de México. Él dijo que habían removido el carrusel para atraer clientes *jóvenes* y *urbanos* a la Calle Cuatro, como aquellos que frecuentaban la cercana *Colonia para Artistas* y quizás también se refería a personas que no se parecieran a el.

Al despertar, me encontré aquí, sobre el mismo caballo blanco con la montura y la rienda violeta de otros tiempos. Aquí, platicando con cualquiera que quisiera escucharme antes de ponerse en fila para un paseo también.

Escucha atentamente. ¿Puedes escuchar las viejas monedas de oro tintineando? Yo sí.

Este niño lindo
Que nació de noche
Quiere que lo lleven
A pasear en coche.

ZORAIDA MARISOL

Soy una mujer encantada de nombre Zoraida. Pero claro que ya sabes mi nombre. Me conocías cuando aún estaba viva.

En esta vida, gobierno desde lejos, muy por encima de los castillos y las reinas. Viajo por medio de susurros, deseos pedidos a la Estrella Polar, y llantos silenciosos. Así como tú me invocaste enmedio de murmullos sangrientos, deseando que la muerte aliviara el dolor. Algunos me llaman Muerte, otros, la Madrina de la Vida.

En mi vida anterior yo también pensé que era mi destino morir como mujer en una noche como esta. Pero la muerte llegó demasiado pronto, dejándome atrapada entre las vidas de otros y la mía.

Yo era un nombre desconocido en una ciudad llena de soñadores. Yo era fuerte como las palmeras meciéndose con los vientos Santa Ana, y tán lírica como los cotorros viviendo debajo de las verdes palmeras similando alas-como-mamá-ave de la Costa del Pacifico. Mis piernas, largas y sedosas bailaban con su propia melodía, sin torpes tropiezos o esquemas mal pronunciadas. Fortunas—no tenía ninguna.

Mi cartera era más valiosa que las monedas tintineando en sus profundos recovecos, y la melancolía era mi amante guiándome hacia un mar amargo. Aún así, arrastraba mi corazón cosido en brazos fatigados—dejándolo expuesto a todo aquél que pasaba por las oscuras, retorcidas calles.

Yo inspiraba, o al menos era lo que decías cuando hablabas de mí. Pero ahora me aparezco en reflejos, manos ahuecadas, y deseos.

Desde que tengo memoria, quería retorcer mi largo cabello entre yemas rojo-China y ruborizarme al sostener mis senos parada frente al espejo vertical. Anhelaba que un hombre acariciara mis curvas, desde las caderas hasta mis labios haciendo un mohín. Pero para muchos, mi tipo de amor era prohibido—maldecido por la sociedad como la tragedia tan conocida de Romeo y Julieta.

Amor—pensé que lo encontraría.

Pero cuando mi cuerpo flácido fue encontrado, sin aliento y pálido como la espuma del océano, arrojó una sombra sobre todos aquellos más cercanos a mi corazón, dejando sólo los sonidos escarpados de sueños hechos añicos, y a una persona con otro nombre—el nombre que me fue dado al nacer, no la yo verdadera.

Antes de decirte lo que sucederá contigo, por favor continúa respirando. Por más doloroso que sea, te ruego que sigas respirando—al final, preguntaré por tu deseo, lo prometo.

Al yo estar en mi último suspiro, me arrepentí de creer que alguien podría llegar a amarme y deseé la muerte. Tú piensas que prefieres no sentir nada pero la verdad es que tu agonía ha invocado mi presencia—porque somos iguales. Como tú, a mí también me llamaron niño al nacer. Un niño que le clavaba la vista a otros niños y envidiaba los listones rojos que las niñas llevaban en su largo y ondulado cabello. Fue una niña la que me ayudó a ver quien era yo en realidad.

"Me gustan tus pestañas. Tú podrias pasar

como una niña bonita." Tenía diez como yo y llevaba puesto un vestido calado con calcetas que le hacían juego.

"Pero soy un niño." Yo vestía pantalón de mezclilla y una camiseta azul sencilla que mi madre habia escogido.

"Esos niños son malos contigo. ¿Quieres pretender ser una niña y jugar conmigo?" Aún la recuerdo, fue la primera en aceptarme. Antes de que yo mismo pudiera ver por completo más allá de mi propia piel y sentir las palomillas revoloteando agitadamente en mi corazón.

Pero en verdad pudiera haber sido cualquiera de ahí en adelante: mi madre, mi única hermana, mi primer amante—todas halagaron mi piel suave, labios perfectos y ojos almendrados. No fue sino hasta luego de muchos años que mi cabello se convirtió en mi auténtica belleza.

En ese entonces mi nombre era Gabriel. Mi madre me dijo que escogió ese nombre porque yo era su pequeño ángel. Me pregunto cuáles serían sus nombres de nacimiento antes de ayudarlos a morir. Aprendí a jamás preguntarles. Los nombres que nos dan no afectan quienes somos en realidad.

Mira, deja que haga a un lado el cabello que cae sobre tus ojos. Tus rizos son de un bonito tono color caramelo, perfecto para tu piel morena. Me entristece ver como se destiñen. ¿Verdad que se siente bien el aceite sobre tus sienes? Yo solía frotarme con aceite después de tener un "mal día". Debería haberte enseñado más cuando aún estaba viva.

Mi madre me enseñó sobre las propiedades curativas de

los aceites cuando era un niño. Pienso que ella ya sabía que era lo único que me dejaría para sanarme a mí mismo. Lavanda es para el balance, reconfortante, normalizante, calmante, relajante y curativo. Jengibre es para entibiar, fortalecer, anclar. Y el aceite de orégano es vigorizante, purificante y edificante. Pero mi favorito de todos es el jasmín—induce calma, relajamiento, sensualidad, y romance. Mi madre muy seguido me recordaba acerca de los propósitos curativos de todos los aceites, aún cuando a los quince me zafé de ella enojada tras decirle que mejor me hubiera enseñado a pelear.

Añadí un poco de jasmín a tus muñecas. Podrás olerlo después, si es que escoges vivir.

Recuerdo la primera vez que fui golpeado por unos muchachos del barrio. Nunca les caí bien. Me llamaban con apodos que mi madre jamás hubiera aprobado, "Joto", "Puto", y "Maricón". Nunca le dije a mi madre del por qué me correteaban por el callejón. Sólo le dije que eran muchachos que vivían en otro barrio. Fue cuando mi madre empezó a corear todos los remedios. Muy seguido, un día después de aplicarme aceites en mi rostro y extremidades, mi madre me daba a beber una taza de té de jengibre y árnica con el desayuno. También me daba un limón ligeramente cubierto con miel, en caso de que el té dejara un mal sabor en mi boca. El limón es edificante, refrescante, alentador. Yo diría que la miel es tán dulce como una rosa en tu nariz y sólamente para satisfacer. Mi madre diría que es antiinflamatoria, para ayudar con moretones. Si es que decides levantarte, dejé algo de miel y limón sobre la mesa, lo único que tienes que hacer es hervir agua. Espero que escojas levantarte pero lo comprendo si es que no.

A los diecinueve, entré corriendo a la casa de mi madre lloriqueando. Cuando me preguntó qué había pasado, escupí las palabras como si ella ya lo supiera. No traté de facilitarle la entrada a mi identidad real o afrontarla con ésta. Vio mi dolor e hizo lo que le venia natural.

"M'ijo, quién te hizo daño? Ven aquí, ven aquí, deja que tu mamá te abraze."

"Mamá, me duele mucho."

"¿Dónde, m'ijo? Muéstrame dónde. Iré por mis aceites."

"No, no te vayas. Mamá, él me usó, él me usó. Me dijo que me amaba. Y me entregué a él."

Instantáneamente, mi madre me apartó de sus brazos. La miré y la llamé, "¿Mamá?" Sólo me miró sin decir una palabra. Supe entonces lo dificil que sería que comprendiera. Supe entonces que todo sería mas dificil y que tendriía que aprender por mí mismo a curarme. Y aunque mi madre nunca me dijo que me fuera de la casa, sentí que era necesario, por respeto. Mi último día, quemó salvia alrededor de mi cuerpo antes de irme. Pero no podía continuar con el silencio, era como chupar un limón con los labios partidos.

Estoy segura de que tú tienes una historia similar. Todos la tenemos. Jamás asumo que la mía es la peor. Hubo un tiempo en que pensaba que era mejor no compartir nuestros pasados, pero ahora desearía haberte dicho más cuando aún vivía. Todos sentimos dolor de una manera diferente, algunos sabemos como aliviarnos solos, otros no conocemos más que dolor.

Mira como te han dejado. ¿cómo lograste llegar hasta tu apartamento? Y tu hermoso vestido, ¿acaso tuvieron que rasgarlo en tres lugares diferentes? Eres una mujer tán bella, con una piel más suave de todas la que he tocado.

Veo una máquina de cocer en aquél rincón, con tela nueva pendiendo de la aguja. ¿Sabes? Así es como logré pagar por mi propio cambio.

Ahora me veo reducida a un esqueleto con un capote hecho a mano. Me he deschecho de todas las capas de carne, piel y género. Tú también te verás igual a mí cuando hayas

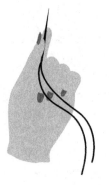

muerto. Qué insignificantes se vuelven nuestras diferencias, entre vidas. En mi última vida, tuve éxito en convertirme en mujer, la única parte de mí que tú conociste. Somos muy parecidas. Ambas sentimos el apetito por ser aceptadas, sucumbí a la muerte por ello. Anhelas detener el dolor; hoy me arrepiento de desear lo mismo.

Pero no sabía que vendría a curarte.

Sólo me di cuenta de que llamabas a la muerte al entrar a este apartamento.

Cuando al principio salí de la casa de mi madre me encontré vagando por mis días sin ningún rumbo en particular. Vivía en este mismo pequeño apartamento, ganándome la vida en un escenario, al igual que tú. El hombre que me protegía no era mi amante. A veces me decía que me descubría en su propio reflejo, como un espejo andante tranquilizando su presencia; otras veces, decía que yo lo había encontrado a él, como un cervatillo tambaleándose hacia un caballo buscando consuelo. Una vez declaré haberme salvado, sin decir de qué. Pero ahora ya sé, su guianza prolongó mi vida para ser lo que ahora soy.

Recuerdo muy poco de ese primer año fuera de la casa de mi madre. Pero sí recuerdo el sol naciente luego de dejar el apartamento, a veces varias horas después. Sabía que iba por una senda, algo mejor que antes, y posiblemente un cambio, aunque nunca logro recordar haber contemplado todo esto rumbo hacia la bodega donde trabajaba como mula de carga. El hombre dijo que habria veces cuando la salida del sol me haría sonreir. Sin embargo, desde que lo conocí, tan sólo le mostré el rostro de un huérfano abandonado. Raras veces estaba en casa cuando yo regresaba al anochecer. Con el tiempo, las cosas cambiaron. Mi cabello creció más y más largo. Lo mantuve justo un poco debajo de mis hombros. En los días que me quedaba en casa del trabajo el hombre me enseñó a coser. Mientras el hombre se vestía antes de marcharse por la noche, se tomaba el tiempo para darme lecciones de etiqueta travesti y lecciones prácticas sobre como transformar la ropa de mujer para halagar nuestros cuerpos.

"Recuerda, inhala mientras te subo la cremallera. Exhala cuando te alborotes el cabello. Grita cuando necesites hacerlo porque todos tenemos que gritar cuando tenemos qué."

"Frota tus labios antes de salir por la puerta. Y bañate con el perfume que desées sudar."

"Si alguien, y lo digo en serio quien sea, cariño—hombre o mujer—se le ocurre verte con asco, lánzales un beso cuando pases a su lado. Sé quien eres, camina erguida y potente como una reina."

También me regaló mi primer vestido. Me dijo que ojalá y me trajera los mismos recuerdos que le trajo a el. No puedo decir si así fué.

La única ropa que poseía antes de mi cambio eran hilos que mi madre me había dado, las camisas sencillas que solventaba con su labor de sanar. En vez de tirarlas, las usé para forrar, para mantener a la que me enseñó a curar cerca de mí. Era su manera de mostrarme su amor.

El hombre era mi fuerza, como espero ser la tuya. El hombre me dijo que tenia que dejarme caminar por mi misma. Me dió este cuarto, con un guardarropa lleno de hermosos vestidos y accesorios coloridos. Diagonal a la máquina de cocer estaba un tocador cubierto de consejos de belleza y citas edificantes—palabras que le escuché decir varias veces pero estaba demasiado fatigada para hacerlas mias.

Más o menos un mes después de que el hombre se

marchó, empezé a usar sus cosas, hice a mi medida cada pieza para que entallara mi cintura. Fue durante su ausencia que me enseñé a ser mujer. Espero un día poder pasar mis cosas a alguien también.

Resulta extraño cómo me llamaste cuando al principio cruzé tu camino. Fuiste la primera en halagar mi cabello, "Me gusta tu cabello, me recuerda a una piedra de ónix. Es real?" Yo me reí, puse mis brazos a tu alrededor, bromeé sobre tu ropa de niño y te traje a casa esa misma noche. Éras mi niño perdido de la noche. Pero claro que tú tampoco recuerdas tu primer año. O quizás lo recuerdas todo, y soy tan solo una alma perdida e ingenua.

Te apuesto a que pensaste que jamás sabrías que me había pasado o por qué me fui. No quise dejarte así. Fue un honor verte florecer. A diferencia mía, escuchaste mis palabras y enseñanzas como un niño hambriento lamiéndose los labios ante migajas de pan. Nunca te regalé tu primer vestido porque hiciste uno cuando me fui—en un día. Te lo pusiste antes de que tu cabello creciera y tus curvas lo llenaran. Eras el cervatillo nacido cierva. Jamás dije que yo te encontré porque sé que tú me salvaste a mí de mí misma. Me diste el valor para enfrentar mi cambio y adueñarme de mi nombre.

Zoraida.

Marisol.

Como hermanas. Yo era más como jasmín; tú eras más como jengibre. Ambas nos sanamos una a la otra. Aún así, yo fui la que caí por el lobo disfrazado de piel de cordero. Mi príncipe me prometió un cuento de hadas no compartido. Quería quedármelo para mí sola. Nunca compartí su nombre o los detalles de nuestro preludio. Me fuí antes de que llegaras a casa. Me fuí ataviada con un vestido nuevo, portando mi bolso más fino y zapatos haciéndole juego. Esperaba que me hiciera perder el control y me transportara en sus brazos. Eso es lo que hizo.

Mi príncipe me dejó disfrutar nuestro platillo compartido y tomarme una copa de vino tinto. Me ofreció llevarme a casa. Las estrellas ya habían salido y mis zapatos no habían sido hechos para caminar por la calle. ¿Cómo me podía negar?

Me preparé para el beso de buenas noches. Hice a un lado mi cabello poniéndolo detrás de cada oreja, presioné mis labios ligeramente sobre una toallita para evitar dejarlo marcado. Le daría las gracias a mi príncipe tímidamente mientras lo miraba a los ojos.

Pero antes de poder decirle donde dar vuelta, mi príncipe giró hacia otra dirección. Cuando bromeé acerca de perdernos, dijo que me había estado viendo desde hacía ya mucho tiempo.

"La primer vez te vi en una parada de autobuses. Te aplicabas lápiz labial." Dijo estas palabras mientras sus negros ojos volteaban a verme.

"Oh, ha de haber sido cuando iba yo retrasada." Le respondí con una risita mirando hacia otro lado.

"Observé como crecía tu cabello, antes de que rebasara tus orejas." Ésta vez, dijo las palabras en un tono bajo, casi como un susurro, mirando hacia enfrente.

"Oh, qué quieres decir? Lo tengo así de largo desde hace meses." Mi voz se quebró y mi cuerpo se tensó.

"Te he estado observando, pretendiendo, pretendiendo, es todo lo que sabes hacer!" Su voz cambió de tono, sus palabras brutales hicieron eco como si hubieran rebotado desde cada ventanilla del automóvil.

El carro se detuvo y no frente a mi casa. Inmediatamente me avalanzé sobre la puerta. Al alejarme de él, sentí una brusquedad alrededor de mi cuello. Mis manos no tenían la fuerza suficiente para alcanzar la puerta o una ventana. Traté de gritar pero el nudo se volvió mas apretado y apretado. Mis dedos ardían por estar sujetando la soga, tratando de seguir

respirando. Me fatigué y dejé a mis ojos cerrarse. Cuando desperté, estaba atada de los tobillos y muñecas, acostada en un
pequeño espacio. Estaba en la cajuela de su coche. Probé algo
metálico en la punta de la lengua y estaba desnuda. Dolor, dolor
por todas partes—como diez golpizas en un día. Sólo podía
cerrar los ojos y soñar con algo mejor. Desperté cuando mi
príncipe abría la cajuela para golpearme aún más. No hablaba,
ni yo tampoco con la mordaza sobre la boca. Sólo podía desear,
desear que jamás hubiera creído que alguien podía amarme. No
volví a despertarme otra vez.

Una joven mujer encontró mi cuerpo, detrá de un
depósito de basura. La vi caminar de un edificio cercano
mientras flotaba sobre mi cuerpo desnudo. Mis cicatrices bajo
mis senos eran prácticamente invisibles y las que tenía entre los
muslos poco a poco se desteñian. Me cubría de lavanda y té de
aceite de árbol cada día. El alivio me traía felicidad. Sabía como
curarme sola pero no podía deshacer lo que mi príncipe había
hecho.

Pasé los primeros meses después de mi muerte viéndote
a tí. Rondaba sobre tí cuando caminabas sola por la noche.
Froté aceites en tu cuerpo mientras dormías. Quería sanar el
dolor que mi ausencia había causado. Pero cuando leí sobre tu
hombro que habían excluído mi nombre, el nombre que escogí
para la yo verdadera, deseé vivir de nuevo. Me habían borrado,
reemplazado con el nombre inútil del niño que mi madre crió.
Condenaron a mi príncipe por matar a un hombre, aún cuando
yo había logrado ser mujer.

Fue el coraje lo que me forzó a escuchar. Oí el llanto de
otras como yo. Algunas lloraban para morir, otras oraban por
vivir. No podía permitir que estuvieran solas con tanta desesperación. Te abandoné para estar con ellas. Apliqué aceites y
hablé con palabras reconfortantes mientras me susurraban sus
deseos. Cada vez que llegaba a un cuerpo amorotonado, sentía

temor de que pudieras ser tú.

Hoy, mi peor temor se hizo realidad. Pero ahora puedo ser aquella verdadera mujer sabia que tú necesitas que yo sea. Tienes una opción, Marisol, puedes escoger morir hoy o continuar viviendo aún después de mañana, vivir para decir nuestros nombres en voz alta. Dáles una razón para que hablen el tuyo en el presente, deja que el mío sea una leyenda. Debes escoger entre la vida o la muerte. Solo tú puedes hacerlo.

Dime, mi querida hermana, dime qué es lo que deseas, yo te ayudaré con el dolor. Aspira la salvia que quemo ahorita para tí, limpiará todas las dudas y te dará la fuerza para hablar. ¿Buscas la vida o la muerte?

Yo haré posible cualquier deseo que tú escojas hacer realidad.

odo empezó cuando los vientos de la noche anterior sacudieron una de las ramas del gran árbol frente a la casa. Cuando desperté, Mamá se quejaba en voz baja acerca de tener que llamarle al dueño otra vez.

"No le va gustar, pero tengo que llamarlo. Estoy segura que si no lo llamo esa rama se va caer encima de mi niña. Sí, sí, ya sé, tengo que llamarlo ahora mismo," ella siempre hablaba para sí misma, especialmente la semana que precedía al pago de la renta. Sabía que no debía molestarla cuando estaba preocupada por dinero. No llegué a pensar entonces que Mamá platicaba con Modesta, especialmente porque jamás vi o escuché a Modesta hablar con Mamá.

Cuando entré al kinder, comenzamos nuestro ritual diario. Por cinco años, cada mañana Mamá preparaba el desayuno y yo tendía la cama. Vivíamos en una casa de una habitación, casi media casa porque estaba dividida en dos por una enorme pared. Lalo y Yesenia, quienes esperaban a su primer bebé, vivían en la otra mitad.

Recuerdo atisbar por la ventana para ver la rama quebrada del árbol colgando desde nuestro techo y a los pericos color jade anunciando la mañana como aún lo hacen. Observaba a Don Gustavo empujar su carrito de paletas hacia el centro de la ciudad, algunas veces se hiba por la manaña para recoger más palétas para su ruta después de la escuela. Agité la mano para saludarlo desde la ventana. Él no me vió pero esa fue la última vez que yo lo ví. En ese momento escuché el primer silbato del tren por la mañana. Vivir cerca de la estación de tren significaba que los silbatos siempre estaban allí para hacerme saber que se me hacía tarde. El tercer silbato de la mañana significaba que tenía que ir a la escuela y debía apurarme. En ese momento Mamá me llamó.

"Josefina, necesito que te arregles y vayas a decirle a Doña Carmen que por hoy tendré que trabajar desde su casa."

Me enojé por un momento. Sabía lo que quería decir con eso de "trabajar". Todos en el barrio también lo sabían. Mamá era una sobadora. Algunos de los niños de la escuela la llamaban bruja porque les preparaba un brebaje de té de menta con una semilla de aguacate sumergido y cortaza apestosa de árbol. Decían que olía a tierra, pero para mi olía a hogar. Algunas veces Mamá le añadía miel para lograr que los niños se tomaran todo el té. También masajeaba sus estómagos y frotaba sus cuerpos con un un huevo. Los niños en el cuarto grado se burlaban de mi.

"Odio la medicina de esa bruja, ¿acaso tu también eres una bruja, Josie?"

"¡Josie es una bruja! ¡Bruja!"

Ni siquiera me daban la oportunidad de contester, sólo se alejaban corriendo y riéndose y yo me quedaba sola en el patio del recreo. Los niños del segundo y primer grado cuchicheaban y me apuntaban con el dedo desde lejos. A veces les hacía una cara aterradora para que ellos huyeran.

En realidad, yo sabía que Mamá no era una bruja. Era solamente una curandera—una tradición que ella decía se la había pasado su abuela. Muchos vecinos le traían sus niños a Mamá. Lalo y Yesenia dijeron que ellos también planeaban traerle a su nuevo bebé. Doña Carmen era su paciente más frecuente pero ya no tenía niños pequeños. Mamá decía que Doña Carmen traía demasiado estrés y que lo llevaba en su vientre. También decía que para la gente era más fácil acudir a ella que pagarle a un doctor. Además ¿por qué no acudir a Mamá? A todos los hacía sentirse mejor. Bueno, por lo menos a la mayoría de ellos.

Al principio, a Mamá no le gustaba aceptar dinero pero tenía que hacerlo cuando le aumentaban la renta. Por supuesto que no todos podían pagarle. Con frecuencia solía decir, "Los que no pueden pagar ahora, me pagarán en la otra vida." Realmente creía que existía otra vida después de ésta para todos, y que allí sería donde todos los que le debían algo en ésta vida por fin le pagarían.

Y eso es lo que a menudo decía en voz alta durante todo el tiempo que vivimos en la media casa.

Pero cuando los días de mudarnos de la media casa se volvieron más cercanos, comenzó a hablar consigo misma más seguido, y ese día, el día de la rama caída, fue la primera vez que escuché a Doña Carmen también hablarle a Modesta.

"Ya sé Modesta, ya sé. Les diré que ésta propiedad es mía, lo pondré en papel como tú lo hiciste. No permitiré que me quiten mi casa. Dime, Modesta, ¿qué más puedo hacer?"

Doña Carmen era la vecina que vivía sola enfrente de nuestra casa y mientras Mamá trabajaba, ella o Yesenia me cuidaban. Su casa era una de las siete casas al final de un lote baldío enfrente de la nuestra. Yo solía decirle a Mamá que deberían de haber construido un parque para todos nosotros. Aunque en realidad ninguno de los niños del barrio hubiera

jugado conmigo, pero por lo menos tendría un lugar para mí sola, como un patio trasero o pretender que tenía mi propio cuarto. Ese lote baldío estaba rodeado por una enorme cerca de alambre. Había dos grandes pinos torcidos en el centro—eran tan altos que sobrepasaban todas las casas. Muy seguido le decía a Mamá que eran perfectos para un columpio pero Mamá me decía que no podíamos poner un columpio porque no era nuestra propiedad, igual que la media casa a la cual no podíamos hacerle ningun cambio porque no era de nosotros.

Al acercarse marzo, el lote baldío siempre tenía áreas con césped. Los niños del barrio habían logrado empujar la cerca hacia abajo de un lado para brincarla año tras año. Mamá decía que era como la frontera que ella cruzaba, no se podía dejar fuera a la gente que sabe avistar una mejor oportunidad. Ese lote baldío era un buen lugar para una cancha de futból—los niños pateaban la pelota alrededor de los árboles. Luego de una buena lluvia, el lote baldío se convertía en un bosque salvaje, flores de diente de león crecían altas y campanitas color índigo escondían la cerca. Mamá le llamaba maleza al diente de león y a las pequeñas flores amarillas. Yo brincaba la cerca para pedir deseos y hacer joyería de fantasía. Mas aún con toda esa bella maleza, Doña Carmen tenía el mejor jardín todo el año porque durante el invierno el lote se llenaba de periódicos arrugados, botellas de vidrio rotas y envolturas de comida chatarra.

Después de que nos aumentaron la renta la primera vez, recuerdo que muchas de las casas y apartamentos empezaron a ser cubiertos con tablas y había menos niños jugando en el lote baldío. Mamá decía que Doña Carmen era dueña de su casa, así que jamás tendría que preocuparse por un propietario. Ella compró su casa mucho años atrás con su esposo quien murió antes de que nos mudaramos a la calle de enfrente. Nosotros no eramos dueños de la media casa. La rentábamos. Era la única casa que yo conocía desde niña pero Mamá continuamente me recordaba que no era nuestro hogar.

"Algún día tendremos que mudarnos hija, ésta es tan sólo una casa, no es nuestro hogar. Nuestro hogar eres tú y yo, solamente nos necesitamos una a la otra para formar un hogar.

Pagamos quinientos dólares al mes por un largo tiempo, pero un año antes de mudarnos el dueño aumentó la renta a setecientos. Lo sé porque Mamá lo dijo en voz alta muchas veces, en ese entonces pensé que hablaba con dios pero ahora sé que hablaba con Modesta.

"Ahora ya pagamos $700. ¿Cómo le voy hacer si tengo que pagar más? ¿Qué hago? ¿Qué le puedo decir al Señor Mike? ¡Ay Dios! Sí, por favor dime, ya sé que va subir la renta otra vez."

Tenía razón. Señor Mike aumentó la renta.

En ese entonces, Mamá parecía más preocupada que nunca. Se frotaba las manos constantemente cuando no se encontraba cocinando, limpiando casas o haciendo curacio-nes—se las frotaba hacia enfrente y hacia atrás, una debajo de la otra. Temía que se fuera a frotar tanto que se le cayeran los dedos. Era la misma forma de frotar que había demostrado al tratar de curar a un niño enfermo años atrás. Ella dijo que el niño tenía una maldición atrapada en su tripa, también dijo que la sintió cuando masajeó su estómago inchado y le indicó a sus padres que tendrían que ir al hospital. Ese niño enfermo murió un año después. Sus padres también desaparecieron luego de lo ocurrido.

"Ándale Josefina, ¡apúrate para que puedas regresar a leer y a desayunar antes de que te vayas a la escuela!"

Mamá sabía que me movía lentamente a propósito. Ella sabía que no quería ir a la escuela. Justo unos días antes mi maestra de cuarto grado mandó una nota a la casa, en Español, diciendo que necesitaba practicar más la lectura y también trabajar en mi ortografía. Ahora, tenía que leerle a Mamá durante el desayuno cada mañana, excepto el domingo—porque en domingo me tocaba descansar igual que a diosito. Le dije que dudaba que dios leyera todos los días. Me gritó y me dió un sermón sobre la educación, uno que ya había yo escuchado muchas veces.

"Ay Josefina, esto no se trata de dios, la lectura y la escritura te van a ayudar toda tu vida. Tienes que tener la capacidad de defender tus derechos. Los gringos no te van a tomar en serio si no sabes leer y escribir en Inglés, ¡tan sólo te harán a un lado! Y si puedes leer y escribir en *Inglés y en Español* ¡eso te hace ser más inteligente que ellos!

No lo supe hasta mucho después, Mamá no sabía leer o escribir muy bien en Inglés. Siempre me había pedido que yo le leyera las cosas. Pensé que lo hacía para que yo practicara, como me lo había dicho la maestra. Pero cuando me habló sobre Modesta, aprendí que era muy importante, algún día el leer y escribir quizás me ayudaría para conseguirle una casa a Mamá. Modesta sólo tenía 12 cuando reclamó su propiedad, en ese entonces pensé que yo también podría hacer lo mismo cuando tuviera 12. Pero pasaría mucho tiempo antes de que yo pudiera hacer algo.

"Bien, Mamá, ¿qué quieres que le diga a la vieja?"

"¡Josefina María! ¿Qué dijiste?"

"Ay, quiero decir ¿qué es lo que quieres que le diga a Doña Carmen?"

"Díle que necesito usar su casa hoy para curar a la gente que planea venir a verme. Díle sobre la rama y que el dueño vendrá a repararla.

"¿En seriooo, le llamaste al dueñoooo? Hmm, Ni siquiera

te escuché llamarlo."

"Ay niña, no me hagas preguntas. ¡Yo soy la mamá! Haz lo que te digo, ¡apúrate!"

En cuanto salí me percaté de que Tony intentaba arreglar su auto otra vez.

"¡Hola Josie! ¿Ya vas rumbo a la escuela?"

"Hola, Tony, no, tengo que ir a hablar con Doña Carmen y luego desayunar. ¿Vas a venir al desayuno hoy?"

"No, no, no, ya no quiero seguir importunando a tu mama con la comida. Compré una cafetera y una tostadora de pan, es todo lo que necesito para el desayuno."

"Tony, ¿por qué no le pides una cocina al dueño? ¿Tienes miedo de hablar con él

como Mamá?

"¿Yo asustado? ¡Yo no le temo a nadie!" La voz de Tony era algo chistosa. A veces hablaba como Mamá, otras veces hablaba como mi

maestra gringa.

Tony había sido nuestro vecino desde que yo tenía uso de razón. Pero su casa sólo tenía un baño y un clóset pequeño. Lo llamaba su taller de arte. Mamá decía que era más barato que nuestra pequeña casa pero que no podíamos vivir allí porque nos faltaba la cocina. Mamá decía que Tony no necesitaba una cocina porque los hombres realmente no cocinaban.

"En realidad, me gusta mi lugar así como es, tengo espacio para pintar y crear mi arte, oye tú deberías venir después de clases para que me ayudes con mi más reciente pintura, ¿juega, Josie?

En ese momento se abrió la puerta de nuestra casita y se escuchó el segundo silbato del tren, yo volteé y vi a Mamá parada allí de brazos cruzados y otra vez con su mirada de "vas a ver".

"¡Ya voy, ya voy Mamá!"

"Ya deberías haber regresado Josefina!"

"Ay, no se enoje con Josie, Señora Esperanza, yo era el que estaba hablando con ella."

Tony siempre le decía a Mamá que la culpa era suya cuando a veces en realidad era mía. A Mamá le caía bien porque nos ayudaba en la casa y le pagaba con un platillo hecho en casa. Una vez cuando Tony tuvo que arreglar la luz en mi habitación, me enseñó como salirme por la ventana. También me pidió que no se lo dijera a Mamá. Ese día me mostró como sentarme sobre el techo y ver mucho más que antes. Tony me dijo que él también se subía a su techo. Que era el lugar más apacible donde estar, que era callado y que la vista era como una de sus pinturas, llena de tantas cosas que yo no percibía al ir caminando por la banqueta. Fue cuando vi la torre de agua con las palabras "La Ciudad Dorada"—parecía que alguien había usado mostaza para pintarlas. A lado izquierdo de la torre de agua, el campanario de la iglesia se entreveía sobre las palmas y los robles que marcaban el horizonte. La Iglesia de San José era donde Mamá y yo íbamos cada domingo. Tony nunca asistía a misa. Decía que su arte era su ceremonia.

Ese día, desde el techo, vimos la puesta de sol der- retirse y a los cotorros graznar mientras pasaban justo sobre nuestras cabezas. Tony dijo que podíamos ver hasta doce kilómetros en cada dirección. Al lado izquierdo de la torre de agua, el reloj del tren marcaba donde los silbatos se mezclaban con el rechinar de los coches y las sirenas de las patrullas. Ese día escuché tres silbatos de tren desde el techo, el último ocurrió exactamente a las 8 en punto. Recuerdo la hora porque ese silbato de tren significaba que ya casi era mi hora de dormir y Mamá gritó que ya era hora de irme a la cama y le gritó a Tony que se comiera el platillo que le había preparado.

No llegué a escuchar cómo terminó la historia de Tony. Empezó a contarme algo sobre la gente de China que construía ferrocarriles y sobre personas que perdieron su terreno a gringos y ricos, me dijo que uno de sus compañeros de colegio se lo había contado. Ahora el silbato del tren me recuerda a Tony y a tiempos pasados.

Antes de regresar a mi cuarto, Tony apuntó hacia su nueva pieza de arte en el patio. Él recogía objetos que otra gente tiraba a la basura y los convertía en otra cosa. Mamá decía que le convenía más trabajar construyendo paredes de yeso en vez de esperar a que le compraran sus proyectos. Mamá decía que Tony le caía bien, que era un buen hombre, pero pensaba que se estaba pareciendo demasiado a los gringos.

"Tony, qué fué lo que te dije acerca de decirle Joe-see, se llama Ho-se-fee-na, como su abuelita en Zacatecas. Ándale Josefina, desde aquí te miro, vete y apúrate en regresar."

"Órale, Josie, er, digo Josefina, escucha a tu mamá para que te deje pintar conmigo después de clases. Lo siento, Esperanza, a veces se me sale lo pocho, ya sabe...."

Tony volteó a verme y luego me hizo un guiño con su ojo derecho para que Mamá no viera que estaba bromeando. Mamá sólo le dió una de sus miradas de "vas a ver" y luego se volteó para verme cruzar la calle. Atravesar la calle no era tán peligroso por la mañana, pero no tenía permitido cruzarla yo sola cuando salía de la escuela. Mamá o Yesenia me encontraban en la esquina donde se paraba el guardia de cruce. Una semana después de que se cayó la rama un coche atropelló a un muchacho que corrió hacia la calle tras un balón de fútbol. Jamás me permitieron volver cruzar la calle sin un adulto. La gente colocó una cruz y flores en esa esquina. Pero luego de mudarnos, muchas cosas cambiaron, hasta quitaron la cruz para el muchacho que había muerto.

La casa de Doña Carmen es lo único en el barrio que no ha cambiado. Su casa siempre fue más grande que la de nosotros. Tenía tres recámaras y un cuarto de baño enorme con azulejos color rosa. También tenía una silla de madera para sentarse en el porche delantero desde donde se podía contar todas las flores de la pasión y las amapolas en su patio. La casa de Doña Carmen no olía como la nuestra, la gente podía oler su casa a una cuadra de distancia. Al menos eso es lo que le decía Mama a Doña Carmen en esos días cuando trabajaban juntas en el jardín. Mamá tenía su jardín de vegetales a un lado de la casa—lleno de espinacas, zanahorias, tomates, jalapeños, cebolla y cilantro. Intercambiaban vegetales y yerbas entre ellas.

La lavanda cerca de los peldaños frente a la casa de Doña Carmen creció tán ancha que la entrada parecía ser la mitad de su tamaño actual. Entre los tallos de las violetas se podían ver las puntas verde-limón de sus plantas de sábila. A veces Mamá recogía lavanda y trozos de sábila para su té. Pero esas no eran todas las plantas, buganvilla—color sangre—se esparcía sobre todo el costado de su casa. Mamá decía que todas esas flores eran plantas de California. Mis favoritas eran los girasoles inclinados y los alcatraces brotando en el patio trasero, me recordaban a la gente de nuestra ciudad. En ese entonces, la casa de Doña Carmen no tenía cerca, así que algunas veces le robaban sus girasoles y sus alcatraces. No le importaba, decía que mientras que sus flores hicieran feliz a la gente no se le podía llamar robar. También me gustaba la yerba buena al otro lado de su casa porque olía y sabía a dulces de menta.

Ella también tenía bastantes curiosidades en su sala que no se podían tocar. En especial me gustaba su colección de ángeles de porcelana. Mamá decía que algún día luego de asistir al colegio yo podría tener una casa como la de Doña

Carmen, con todos los ángeles que colecionaría de mis visitas con la abuela en Zacatecas. Algunos ángeles en la sala de Doña Carmen tenían alas doradas, otros tenían bordes irregulares porque a alguien se les habían caído y las alas se habían quebrado. Doña Carmen decía que no podía tirarlos, que sería como ignorar a los espíritus que nos visitan en el Día de los Muertos, ellos se perderían en el ultramundo. Quizás allí también vivía Modesta. Quizás Modesta regresaría para pagárselas a la gente en la siguiente vida. Después de ese día le pregunté a Mamá sobre Modesta. Ella me miró sorprendida.

"Mamá, ¿quién es Modesta y por qué Doña Carmen le habla como si estuviera allí cuando no hay nadie y no está hablando por teléfono? ¿Le está hablando a alguno de los ángeles?

"*Te dijo* Doña Carmen que estaba hablando con Modesta?"

"No, la escuché decir su nombre cuando fuí a su casa esta mañana. ¿Crées tú que Doña Carmen habla con fantasmas?

"¿Qué te hace pensar que Modesta es un fantasma?

"!Mamá! Dímelo de una vez, ¿esa señora está loca o qué?"

"!Josefina María! !No le faltes al respeto a tus mayores! Si quieres saber sobre Modesta yo te lo diré pero no llames loca a la gente por que habla con espíritus. No sé que te enseñan en esa escuela, pero en mi casa no hablamos mal de los vecinos o ignoramos a nuestros ancestros. Además, Modesta es parte de la historia de ésta ciudad, no sé por qué no te enseñan eso en la escuela.

No recuerdo cómo pasó el resto de ese día. Hasta los meses siguientes se pasaron volándo muy rápido, giraron como las hojas cuando los vientos de Santa Ana llegaban mientras hiba caminando a la escuela o la iglesia. Mamá todavía se ríe de mí por poner un letrero enfrente de nuestra media casa como el que había puesto Modesta en la propiedad de su familia.

"Ésta media casa le pertenece a Mamá. Y si el dueño aumenta la renta tendrá que dejarnos vivir aquí gratis."

Pensé que hiba a funcionar. Yo era la única que sabía leér y escribir en Inglés. También escribí uno para Lalo y Yesenia.

"Ésta media casa le pertenece a Lalo y a Yesenia. Y si el dueño aumenta la renta, tendrá que dejarlos vivir aquí gratis."

Me dieron las gracias con una paleta de chile con mango y un libro para colorear el día que se mudaron.

Tony se mudó antes que todos nosotros, no traté de rescatar su taller de arte, especialmente porque el nuevo hombre que vivía allí hizo enojar a Mamá. Tenía fiestas ruidosas y encontrábamos botes de cerveza vacíos en nuestro jardín de vegetales.

Doña Carmen me pidió que pusiera un letrero para rescatar su casa. Hasta me dió la pintura para usar en vez de mis crayones y me enseñó como escribirlo también en español.

"Ésta casa le pertenece a Doña Carmen Rosas. Y si la ciudad quiere construir un edificio aquí, le tendrán que pagar 10 millones de dólares."

Ella se reía cada vez que lo veía. Me dijo que a Modesta también le gustaba. Modesta nunca me habló, aún cuando encendí velas y la llamé tres veces. Mamá dijo que Modesta no necesitaba hablar conmigo porque yo era una niña. Pero le recordé a Mamá que ella también había sido una niña cuando se enfrentó a la gente del ferrocarril. Doña Carmen dijo que Modesta había colocado un tendedero de ropa para evitar que construyeran el ferrocarril en su propiedad. Pero yo no tenía que hacer lo mismo, Mamá y Doña Carmen ya tenían un tendedero de ropa, lo sé porque hacían que yo colgara la ropa mojada cada semana.

Doña Carmen sí tuvo que pelear por su casa. Pero no

la clase de pelea que se ve en la escuela. Tuvo que conseguirse un abogado e ir a corte. Ella dijo que Modesta no le tenía confianza a ninguna persona de la ciudad, especialmente a los miembros del consejo *Hispano* que usaban trajes elegantes. Mencionó que sólo trataban de parecerse a los gringos, algunos de ellos habían olvidado que sus padres también habían sido *gente*.

Al final, Mamá y yo tuvimos que mudarnos. Al Señor Mike no le gustaron mis letreros. Le dijo a Mamá que teníamos que quitarlos.

A veces tomo el camino largo a casa después de clases y paso por la casa de Doña Carmen. Mamá nunca se entera porque hoy en día casi siempre está en el trabajo. Últimamente no he visto a Doña Carmen en su jardín y todas las flores han desaparecido. Su casa es la única casa que queda en la cuadra. Me gustaría pensar que es por el letrero que hice para rescatar su casa. El lote baldío ya no está solo. Se ha convertido en apartamentos que Mamá no puede rentar, dice que porque le piden papeles. Le dije que yo tengo muchos papeles y que puedo escribir cualquier cosa que necesite. Sólo me ignora.

Mamá ya no cura a la gente. Toma un autobús para llegar al lugar más feliz del mundo pero ella ya no es feliz. El taller de arte ahora es una tienda de helados pero Don Gustavo ya no trabaja allí. La media casa ahora está pintada de blanco y otras personas viven allí. Ellos no saben que fué el único lugar al cual yo llamé hogar.

Por ahora todo lo que puedo hacer es encender velas cada domingo. Apenas anoche, mientras Mamá trabajaba un turno de noche y la señora que nos renta el cuarto se había dormido, encendí una vela con la esperanza de que Modesta me escuchara decir su nombre otra vez.

"Modesta Ávila, Modesta Ávila, Modesta Ávila, por favor dáme una señal."

Lo dije dos veces. En segundos, escuché un silbato de tren y una ráfaga de viento entró por la pequeña recámara que comparto con Mamá. La vela se apagó inmediatamente. Esperé escuchar a Modesta pero no lo hizo y me quedé dormida antes de que Mamá llegara.

A la mañana siguiente mientras desayunaba Mamá me pidió que le leyera el periódico. Antes de que empezara a leér las palabras en voz alta, supe que Modesta me había escuchado.

"El tren de carga Pacífico del Sur se descarriló, afectando al desarrollo local."

La noche que Héctor y Graciela fueron separados de sus padres, patrullas policiacas abarrotaban la calle. La policía había levantado barreras, y las luces rojas, blancas y azules incitaban susurros de "¡Retén!" y "¡No vayas por ahí!" Los policías portaban pesados garrotes, amenazando a que la gente regresara de donde había venido mientras que sirenas desgarradoras presagiaban la peor pesadilla para un inmigrante. Fue en ese preciso momento cuando su madre volteó hacia el asiento de atrás para gritarles más fuerte que antes.

"¡Córranle hijos! ¡Corran!"

Fueron muchos instantes los que precedieron a esa noche pero Héctor nunca conoció los detalles, no como Graciela. Ella lo escuchaba y lo veía todo. Sabía que sus padres no deberían estar en este país. Ella sabía lo que significaba para sus padres cuando la palabra *ilegal* salía impresa en los periódicos y era repetida en la televisión. También sabía que sus padres trabajaban duro tan sólo para pagar por la cochera que ellos llamaban hogar.

Pero el padre de Héctor y Graciela llegó a un punto en el que ya no pudo proveer ni siquiera para eso. Varias veces había intentado mejorar sus vidas, pero sin documentos y un trabajo estable no podía alcanzar lograr el Sueño Americano que les había prometido a todos ellos.

*

Una semana antes, el padre no lograba conciliar el sueño cuando su esposa le dijo, "Escúchame, viejo, tenemos un plan para que mi prima Lupe se quede con ambos niños si es que nos deportan." "No, vieja," dijo el hombre. "No tengo el corazón para hacer un arreglo así y que mis hijos se queden con esa mujer." Sé lo que Lupe piensa de nosotros---jamás me mira a los ojos!!"

Pero ella insistió,"Héctor y Graciela nacieron aquí y estarán bien, viejo. Además, tuviste suerte en tardarte para dejar a Héctor en la escuela. Si hubieras llegado a tiempo, ICE te hubiera llevado a tí como a los otros padres que se llevaron ese día."

"Pero no me llevaron."

"Viejo, y si algo sucede?"

"¡Nada va a pasar, vieja!" En esta ocasión el hombre gritó.

"Si no pensamos en algo," le respondió su esposa, "los niños van a pensar que los abandonamos y cómo van a vivir entonces?" No dejó de insistirle hasta que él dijo que sí. Pero en ese momento, tan sólo estuvo de acuerdo en hablar con Graciela cuando Héctor no estuviera presente. No quería que Héctor sintiera miedo a su corta edad.

La hermana mayor y su hermano menor seguían despiertos, tan sólo una cortina separaba los cuartos y escucharon todo lo que sus padres habían discutido. Héctor pensó, "¿Por qué dice Mamá esas cosas?" y empezó a sollozar en los brazos de su hermana. Pero Graciela habló: "Cálmate, hermanito. No te apures. Encontraremos un manera, ya lo verás." Al decir esto, se levantó, cubrió sus hombros con una cobija, abrió la puerta de la cochera y se deslizó silenciosa.

La luna resplandecía brillante, y el farol de la calle parpadeaba frente a la entrada como lo hacen las estrellas en el desierto de Sonora. Recordó las historias de los cruces en la frontera que platicaban los compadres cuando pensaban que ella no los estaba escuchando. Cómo usaban la luz de Coyolxauhqui y sus hermanos para guiarlos a través del desierto cuando viajaban de Puebla a Mexicali, y finalmente entraban al norte. Su madre llegó a decir, "Coyolxauhqui es la diosa de la luna y sus hermanos son las estrellas que muchos viajeros usan como guía, hija. Pero no te engañes, algunas veces ella también los lleva hacia el peligro." Mamá también le dijo como Coyolxauhqui había maltratado a su propia madre. Graciela no podía imaginarse rebelarse contra su madre pero ella tampoco quería vivir con Lupe. Así que volteó a ver hacia la derecha, observando los nombres de las calles atravesadas, contando faroles de calle como estrellas y fijando su vista en la luna. Luego regresó a la cochera y escribió en su libreta, asegurándose de también incluir su dirección.

"No te preocupes, hermanito. Coyolxauhqui se va a asegurar de que sepamos el camino a casa. Tan sólo duerme callado." Y se acostó al lado de Héctor quedándose dormida.

Temprano por la mañana, antes de que el sol empezara a salir, su mamá entró y despertó a Graciela, murmurando.

"Graciela, levántate. Papá quiere que vayas con él al centro para ir a traer el carrito de con el mecánico hoy. Aquí tienes pan dulce para cada uno. Sé inteligente y no te lo comas hasta que llegues a La Fuente y tu papá te compre algo de beber."

Cuidadosamente, Graciela envolvió su pan dulce en

una servilleta y lo colocó en la palma de su mano. Metió una pequeña libreta y su lápiz en sus bolsillos. Luego ella y su papá se dirigieron hacia el centro. Después de subirse a un autobús, Graciela volteó a ver la entrada hacia la cochera. Lo hizo una y otra vez hasta que su padre le dijo, "Graciela, que es lo que ves allá atrás? Presta atención, ¡tendremos que bajarnos en la siguiente parada!"

"Ay Papá," dijo Graciela, "Veo a los pericos color verde limón que vuelan sobre nosotros mientras sale el sol. Me quieren desear una buena mañana."

"Ah qué niña," dijo Papá, "eso que oyes no son pericos. Es el rechinar de los autos llevando gente a sus trabajos. Quién más anduviera levantado tan temprano?

Pero Graciela no había estado observando a las aves. Ella iba contando las paradas de autobuses—prestando atención a la Biblioteca Newhope y anotando los nombres de las calles. Cuando llegaron al centro, su padre dijo, "Hija, quiero que te sientes junto a La Fuente, voy a ir a conseguirte algo de beber con tu pan dulce."

Al sentarse junto a La Fuente, Graciela comenzó a apuntar en su libreta todo lo que veía. Su papá regresó con agua tibia que sintió vergüenza tener que pedirla en un café cercano. Cuando Graciela apenas iba a empezar a comerse su pan dulce, su papá dijo, "Hija, quédate aquí, voy a ir al banco. Al terminar, regresaré por ti."

"Papá, pense que querías que fuera contigo por el carrito."

"Sí hija, pero primero tengo que canjear mi cheque para poder pagarle al mecánico."

Graciela permaneció cerca de La Fuente y mordisqueó su

pan dulce por un par de horas. Pero su papá no volvió. Cuando pasaron más horas y ya no tenía pan, empezó a preguntarse si su papa la había abandonado. Antes de la puesta del sol notó a un policía pasar cerca, primero a pie y luego también un grupo montado en caballos. Graciela pretendió ir corriendo detrás de un hombre y una mujer que caminaban juntos, como si fueran sus padres. Una vez fuera de la vista del policía, corrió hacia el sonido del tren, lejos de los restaurantes y los bares que sus padres decían no podían pagar. Graciela anotó los nombres de las calles cerca al Centro Cívico---Main, Bush, French, Minter, Garfield, y Santiago. En el último momento, volteó en la calle Custer porque escuchó la risa de los niños y tuvo la esperanza de que fueran Héctor y su mamá. Se gastó los últimos rayos de luz solar en el Parque Chepa en el Barrio Logan. Al caer la noche, se encaminó hacia la estación de tren y se detuvo en la plataforma. Cuando los guardias de seguridad la empezaron a observar por demasiado tiempo, se escondió en uno de los baños.

Una vez que Graciela se asomó y vio la luna llena sobre la torre de agua de la ciudad, se alejó de la estación de tren y empezó a caminar hacia su casa. Los faroles de la calle parpadearon de nuevo como las estrellas fugaces del desierto de Sonora e imaginó que Coyolxauhqui le mostraba el sendero. Caminó por un largo tiempo, volteando a ver la luna hasta que llegó a la parte trasera de la cochera antes de la medianoche.

"¡Hija! Dónde está tu padre? ¡He estado muy preocupada!"

Pero Graciela no podía encontrar las palabras para contestarle. Tan sólo rompió en llanto en los brazos de su madre. Héctor abrazó a su hermana por la cintura. Los tres lloraron juntos, y de repente se abrió la puerta de la cochera y entró su papá.

Cuando vio a sus hijos acurrucados en los brazos de su

madre, gritó con todo su corazón, no le había gustado la idéa de estar separado de ellos.

"Ya mero vieja, ya mero pero no los dejé que me llevaran." Su voz se quebró y no volvió a decir nada hasta el día siguiente.

Héctor no estaba seguro de lo que su papá decía pero Graciela lo entendía. Tan sólo podía imaginar lo que pudo haber sucedido porque ni su mamá ni su papá le contaron nada. Mamá estaba feliz del regreso de su papá, pero en secreto se sentía avergonzada de la vida que le habían dado a sus hijos. Fue mamá la que habló con Graciela.

"Graciela, vas a tener que encargarte de tu hermano si algo me sucede a mí o a tu papá. Tendrás que explicarle nuestra deportación, y decirle que no fue nuestra opción marcharnos.

"Mamá, ¿por qué no podemos yo y Héctor vivir aquí solos? Soy lo suficientemente grande, y también puedo encontrar un trabajo. Ya puedo encontrar el camino a casa y me vine sola la noche que papá desapareció. Recordé lo que me dijiste sobre la luna y las estrellas, sobre Coyolxauhqui, ella no me engañó, Mama. Y sé cómo burlar a la policía, y se esconderme también de ICE.

"Ay hija, ICE no vendrá por ti y por Héctor. No te preocupes por eso, tú naciste aquí y tienes derechos. Recuerda eso, ¿sí? Y no seas como Coyolxauhqui y te pongas en contra de tu madre, recuerda lo que te dije, ella no se convirtió en una diosa de la luna por hacer lo correcto. Ella y sus 300 hermanos se rebelaron contra su madre, así es como terminaron iluminando todo el cielo, para servir como un recordatorio.

"Pero prima Lupe no te quiere. Sé que no, se lo dijo a sus vecinos."

"¿Cuándo?"

"Cuando nos quedamos con ella el sábado que tú y papá fueron a trabajar. Su vecina le preguntó que quiénes éramos, ella le dijo que tú eras *ilegal* y que la única razón que nos dejaba quedar allí era porque le limpiabas la casa."

"Ay esa Lupe, ella piensa...ay ¿qué te dije sobre andar escuchando conversaciones de adultos, Graciela? Olvídate de todo eso hija. Recuerda que si algo nos sucede, dile a la gente que la prima Lupe es tu familia. Mira, dame tu libreta, esa en la que escribes todo y la que llevas por todas partes. Te anotaré su información."

No mucho después de esto, una vez más no había mucho que comer en la casa, y una noche Héctor escuchó a su mamá decirle a su papá, "Graciela encontró el camino a casa esa vez, y no quiero pensar en nada malo, pero ahora que ya casi no tenemos nada aquí excepto frijoles viejos, estamos atrasados en pagar la renta, y ayer la migra tocó la puerta de la comadre, ya es sólo cuestión de tiempo, viejo. Mañana tendremos que hablar con ellos dos, podemos ir al Parque Delhi para que jueguen y platiquemos con ellos. Si no, ya no hay esperanza para nosotros---o para ellos."

Todo esto entristeció al padre, y pensó, "Sería mejor compartir este último tazón de frijoles con mis chamacos aquí en la casa y pensar en otra manera de sobrevivir nosotros como familia." "¡Debemos trabajar más duro, vieja!" Pero como ya había visto cómo habían separado a las familias de sus compadres, sabía que tendría que explicarle a sus hijos la posibilidad de que él y su esposa fueran deportados.

Héctor y Graciela de nuevo escucharon la conversación entre sus padres. Graciela se levantó con la intención de escribir más planes en su libreta pero escuchó a Héctor lloriqueando para sí. Aún así, lo consoló y dijo, "Tú duérmete, hermanito. Coyolxauhqui nos ayudará como ayudó a todos los que han viajado hasta aquí."

Temprano al día siguiente cada uno de ellos recibió un pan dulce como cuando Graciela acompañó a su padre al centro, pero esta vez solo era una pieza cortada en dos. En el camino, Graciela puso su mano sobre el pan y cada vez que pasaban por una calle, transfería un trozo de pan de un bolsillo al otro para mantener la cuenta. Luego murmuraba los lugares para sí misma: "Biblioteca Newhope, El Toro Carnicería, Flower Street Park."

"Graciela, por qué siempre te detienes a mirar a tu alrededor?" preguntó su papá. "Ándale, ¡continúa caminando, hija!"

"Ay papá, estoy viendo a las palomas sentadas sobre los cables de teléfono, son como nosotros, se mantienen unidas aún cuando no tienen un hogar verdadero." contestó Graciela.

"¡Ay niña!" dijo su madre. "Esas palomas no son como nosotros, ¿que no ves que ellas sí tienen la libertad para ir a donde gusten? Y pueden comer más que sólo frijoles y migajas de pan."

Llegaron al Park Delhi, voltearon a la izquierda y derecha en calles más pequeñas---pasando una tienda de licores en McFadden, Lathrop Intermediate School, volteando en una calle que Graciela ya no recordaba, luego a la derecha cerca de Alva's Dulcería y finalmente a la izquierda luego de pasar un letrero que decía "Historic South Main". Pero para entonces ya Graciela tenía demasiados nombres para recordar, se le había terminado el pan para contar, y se sentía confundida sobre cuál era el camino a casa. Una vez más, tenían que esperar en el Parque Delhi con su mamá mientras que su papá regresaba con su carrito. Había tenido que ahorrar otra vez para sacar su carro del depósito de automóviles de la ciudad. Le habían quitado su carrito cuando lo detuvieron al dirigirse a recoger a Graciela de La Fuente. Se arrepentía de ir por su carro antes de ir a recoger a su hija, pero lo había hecho para sorprenderla y poder platicar con ella mientras conducía. En vez de

eso, había provocado que su hija se sintiera abandonada y aún no encontraba las palabras apropiadas para disculparse.

Cuando llego el mediodía, Héctor compartió su pan con Graciela porque ella sólo tenía migajas en su bolsillo. Ella las arrojó sobre el césped para las palomas. Se sentaron bajo un gran árbol de cedro mirando a las palomas pasearse libremente. El mediodía vino y se fue y transcurrió también la tarde y su papá no venía por ellos. Mamá consoló a Graciela y a Héctor diciendo, "Sólo espera a que la luna salga por completo, hijos. Entonces podremos ver los faroles de la calle, leer los nombres de las calles y reconocer los lugares que pasamos. Verán como Coyolxauhqui nos enseñará el camino a casa ¿Verdad, Graciela?" Pero Héctor parecía confundido y cuestionó a su mamá.

"¿No va a venir papá por nosotros? ¿Le ha sucedido algo?"

"Héctor, Mamá sólo está vacilando con nosotros. Papá estará aquí antes de que anochezca, ¿verdad, Mamá?"

Justo en ese momento escucharon el claxon de un carro y voltearon para a ver como su papá agitaba la mano desde el carrito. Rumbo a casa su papá tuvo la discusión con sus hijos que su madre le había pedido que tuviera. Estaba calmado y le sonrió a la mamá después de que todos hablaron de la situación. Hasta se detuvieron a comprar un licuado en su lugar favorito en la calle First y Spurgeon, Su mamá les dijo sus hijos que eran igual a los licuados de Acapulco donde ella y Papá habían visitado antes de venirse para el norte.

Fue en el camino a casa desde First y Spurgeon que se encontraron con el puesto de revisión policiaco.

Después de que Héctor y Graciela salieran corriendo del carro, se escondieron en un estacionamiento cercano. Cuando salió la luna y Graciela busco los faroles de la calle, algunos no se veían porque la ciudad no los mantenía funcionando en algunas áreas, y otros habían sido destruídos a pedradas y disparos por los cholos. Aún así, Graciela creía que podría encontrar el camino a casa y jaló a Héctor con ella, pero luego de un rato las nubes cubrieron a la luna, y ya no se veían las estrellas por ningún lado.

"Ay Héctor, le hubiera hecho caso a Mamá, Coyolxauhqui nos ha llevado por la ruta equivocada!"

Caminaron toda la noche y toda la mañana del día siguiente, hasta que se encontraron enfrente de la carretera de la ciudad, a un lado del zoológico.

"Mira Héctor, no te gustaría visitar el zoológico?"

"Graciela tengo sueño y frío, ¡no quiero ir al zoológico! ¡Quiero irme a casa!"

De repente, Graciela se acordó que esa era la misma carretera que su papá decía que tomaba para irse al trabajo. Siguieron el camino por un par de horas más pero no sabían por cuál rumbo dirigirse. Permaneciendo junto a la carretera, pasaron First Street, Calle Cuatro y hasta la estación de tren una vez más---allí descansaron por un rato también. Ahora los dos tenían mucha hambre, sólo habían logrado comerse un par de guayabas del patio de alguien.

Cuando se detuvieron en la esquina de 17th y Flower, Graciela recordó el Parque Flower Street Park y jaloneó a Héctor hacia una nueva ruta. Llegaron a la biblioteca pública principal, rodeados de gente negra, morena, y de piel blanca, ancianos y jóvenes por igual. Eran como una gran familia acampando sobre las áreas con césped---excepto que era obvio para Graciela que esa gente no tenía hogares. Algunos tenían carritos de compra llenos de envases de plástico y bolsas de papel. Otros tenían tiendas de campaña fabricadas con cajas de cartón. Había un grupo de la iglesia local regalando platos de comida y leche sobre mesas plegables. "Vamos a sentarnos a comer hasta llenar, y luego nos vamos a casa," dijo Graciela. "Yo quiero espagueti. Héctor, tú puedes comerte un emparedado y leche."

Graciela ya había limpiado su plato de espagueti mientras que Héctor había devorado un emparedado de jalea de cacahuate con mermelada y estaban a punto de comer más cuando escucharon una voz cercana a ellos gritando:

"¡Miren, veo niños ilegales! ¿Por qué están comiendo gratis en mi ciudad, pequeños amiguitos?" Héctor y Graciela se sorprendieron, dejaron caer lo que tenían en sus manos, e inmediatamente un ogro moreno con pantalones y camiseta verde militar se deslizó de detrás de un árbol.

Meneó su enorme cabeza y dijo, "Ya, ya, niños, ¿de dónde vienen? ¿Hablan inglés? ¡Vengan conmigo!» "¡No! No!" Graciela y Héctor empezaron a gritar y a correr en dirección opuesta. Héctor pensó que estaba teniendo una pesadilla y Graciela pensó al instante sobre la leyenda del cucuy que le había contado su mamá.

"Los voy a mandar con sus padres. ¿Dónde me dijeron que viven y de donde son?" El ogro moreno les hablaba fácilmente y con seguridad.

Nadie a su alrededor parecía percatarse o importarle, era como si todos ellos fueran invisibles. Los arrastró a ambos del cuello de sus camisas hasta un edificio cercano y se encerró con ellos dentro de una pequeña oficina. Al principio, se resistieron a contestar sus preguntas. Luego les sirvió un plato lleno de comida chatarra---soda, perros calientes, donas y dulces de chocolate. Tenía una sonrisa torcida y era descuidado para comer, pero ya para entonces les parecía más amigable a Héctor y a Graciela.

El ogro dijo que era moreno igual a ellos y quería llevarlos a un lugar mejor donde vivir, lo describió como un cuento de hadas, como un parque de diversiones en una ciudad cercana, donde los sueños se convierten en realidad.

"¿Acaso no quieren su Sueño Americano? Vamos yo se

los muestro..."

Esta vez se sintieron felices de tomar su mano. Los llevó a un grupo de casitas justo afuera de los límites de la ciudad y cerca del océano pacífico--cabañas especiales construidas para niños como ellos, así se los dijo. Alli tendrían una recámara sólo para ellos con cobijas nuevas, ropa nueva, y hasta un escritorio donde escribir con montones y montones de libretas. Al principio, Héctor y Graciela estuvieron fascinados de vivir en una casa de verdad, tener sus propias camas y dormir en una verdadera recámara, los armarios llenos de ropa y todos los juguetes no eran tan importantes para ellos. Pensaron que aquella casa real era lo que sus padres querían para ellos---una cerca de madera blanca, un barrio bonito con faroles brillantes en las calles. Graciela no pudo evitar pensar que esto era lo que sus padres habían llamado el *Sueño Americano*.

Temprano al día siguiente, antes de que los niños despertaran, el ogro moreno en su uniforme verde militar se levantó y miró a Héctor y a Graciela durmiendo dulcemente en sus respectivas camitas, se sentía encantado y pensó, "Será fácil deshacerme de ellos, ¡ni a sus padres les importaban mucho!" Porque el ogro era en realidad un miembro de la milicia civil en busca de niños no acompañados, y había hecho arreglos con ICE de regalar comida gratis y lugares donde dormir para atraer a esos niños a él. En cuanto tenía algún niño moreno a su alcance, los secuestraba, encarcelaba y encontraba razones para deportarlos. Era una forma de servir a su país, hacer que América fuera grande una y otra vez, y su intención era formar parte del llamado grupo de ciudadanos Americanos. Por esto se sentía muy orgulloso de haber atrapado a Héctor y a Graciela.

Poco después cargó a Graciela mientras dormía profundamente y la introdujo dentro de una pequeña jaula. Cuando se despertó, ya estaba detrás de una malla metálica, y no tenía espacio para moverse. Sabía que ella le daría problemas, ya que Héctor siendo más chico, el ogro había logrado convertido en su criado personal, así como él se había sentido de niño. Después, gritó, "¡Levántate, ilegal! Ve por agua, y luego te vas al sótano a barrer el piso. Tu hermana mayor está encerrada en una jaula. Quiero que se de cuenta que nadie la quiere aquí, y que cuando insista en que la deje salir, los mandaré a ustedes dos a México o a cualquier lugar olvidado por Dios de donde hayan venido."

"Pero, pero, nosotros no..." Héctor empezó a llorar y no pudo escupir las palabras.

"¡Deja de llorar, niño! Limpia el sótano, y dale a ella las sobras que barras del piso, porque ya no habrá escuela ni comida gratis para ninguno de ustedes." El ogro agitó su gordo dedo frente a la cara de Héctor.

Héctor sentía miedo. Tenía que hacer lo que ogro le mandaba hacer. Así que barrió y le dió de comer a Graciela las pocas migajas comestibles para que no sintiera hambre y el ogro ya no les hiciera ningún daño. Posteriormente, vino el ogro y la llamó, "Niña Mexicana, ¿ya te cansaste de estar en esa jaula, ya estás lista para volver a tu país olvidado por Dios?"

Sin embargo, Graciela sólo dijo que había dormido bien y amaba su nuevo hogar y el ogro se sentía continuamente confundido que Graciela no quería ser liberada. Graciela sabía que podía burlar al ogro moreno como había burlado al policía, así como le había dicho a su mamá que podría burlar también a ICE.

Una tarde, luego de que ya había pasado un mes, el ogro le dijo a Héctor, "¡Apúrate, limpia el sótano! Tu hermana mayor va a ser deportada mañana. Hoy quiero preparar la jaula para el próximo grupo de niños."

Así que Héctor se fue con los puños cerrados, barrió

el sótano y preparó otra jaula, pero ya no había llorado desde ese primer día. Temprano al día siguiente se levantó, le dió de comer a su hermana las migajas y arregló otra jaula.

"Asegúrate de que no se va a quebrar con un fuerte jalón o un empujón," dijo el ogro. "Quiero asegurarme de que quepan dos niños."

Héctor se encontraba en el sótano, furioso, y pensó sobre Graciela y su fé en Coyolxauhqui, "Hubiera sido mejor que nos quedaramos con Mamá y Papá y sin comida, o ser deportados juntos. Coyolxauhqui, ¿en realidad estás allí?"

Entonces el ogro llamó: "¡Illegal, ven enseguida!"

Cuando Héctor llegó a la jaula nueva, el ogro dijo, "Mira adentro para cerciorarte de que van a caber dos niños. Yo estoy demasiado grande para pasar por la malla metálica, siéntate en el centro, y luego moveré a tu hermana mayor dentro de esta jaula para asegurarme de que es la medida correcta." El ogro quería cerrar la puerta de malla una vez que Héctor estuvo adentro, quería atormentarlo y deportarlo, así como a Graciela. Esto es lo que había planeado el ogro para estar seguro de que ICE lo aprobaría a él también.

Pero a través de una pequeña ventana cerca del techo en el sótano, y uno de esos días raros en que la luna aún se veía antes de salir el sol, Coyolxauhqui se le apareció a Héctor, y le dijo al ogro, "No sé cómo lo haces, por favor enséñame hombre moreno. Hice la jaula aún más grande esta vez, siéntate en el centro y luego te sigo. Entonces podremos saber si podrían caber tres niños en vez de dos."

Con la emoción de lograr que cupieran más niños, el ogro no dudo en Héctor y se introdujo empezando por la cabeza. Hector usó toda su fuerza para darle una gran sacudida en las sentaderas tal como su padre le hubiera dicho que lo hiciera. Luego rápidamente cerró la puerta de malla y la aseguró con una barra de hierro, se había cerciorado de que la jaula sería demasiado pequeña para un monstruo tan grande. El ogro moreno empezó a gritar y a gruñir, amenazando con matarlos a ambos. Pero Héctor salió corriendo, y el ogro se quedó miserablemente atorado sin siquiera poder moverse.

Después de abrir la puerta de la jaula donde estaba Graciela, ella saltó fuera y abrazó a Héctor fuertemente. Al ir corriendo por la casa del ogro, pasaron por cuartos llenos de las pertenencias de otros---chamarras de todos tamaños, zapatos de niño y mochilas. Cada uno recogió una chamarra, una sorpresa para sus padres. En su camino por las calles, creyeron que Coyolxauhqui los acompañaba desde el cielo, ésta se reaparecía en cada esquina cuando Graciela gritaba los nombres de las calles que iba reconociendo.

Una vez que llegaron a su cochera, su papá les sonrió y admitió que no había pasado ni una hora de felicidad desque que habían estado fuera. Les prometió encontrar una mejor manera para que todos vivieran en este país, se disculpó con ambos muchas veces. Aún así, no veían a su mamá por ninguna parte. Cuando su papá les preguntó sobre las chamarras que llevaban, Graciela le explicó que eran para ellos dos. Justo entonces su papá inspeccionó las chamarras y encontró mucho dinero cosido en las costuras. Los niños se sentían tan emocionados que querían compartir la sorpresa también con su mamá. Su papá les pidió que se sentaran a su lado y les explicó que a ella la habían deportado luego de salir a la medianoche para buscarlos, la misma noche que los habían detenido en el punto de revisión y a Coyolxauhqui la habían cubierto las nubes y sus hermanos, las estrellas, no brillaron en el cielo para ayudarlos.

Todo empezó en el restaurante, aquél sobre Washington y Custer.

"Gracias, Gloria, como siempre, sirves los mejores huevos rancheros en esta ciudad. Oye, podrías decirme ¿qué hace ese hombre cerca del muro? Lo vi preparando algo así como la plataforma de un andamio cuando me dirigía a este lugar."

"Ah, ¿te refieres a José? Está pintando, tiene un plan para pintar todos los soldados."

"¿Todos los soldados?"

"Ah, quiero decir los veteranos de la guerra, ya sabes, los viejitos como usted, Señor Harry,"

Gloria sonrió con sorna al recoger mi plato. Siempre torcía sus palabras, algunas veces para irritarme, otras veces yo notaba que se debía a su desordenada traducción.

Ese lunes por la mañana, antes de ir a la corte, hice lo que venía ya haciendo desde hacía treinta y tantos años. Desayuné, ordené el mismo platillo con una taza de café negro y tortillas de harina a un lado. Gloria llevaba puesto un vestido Mexicano color azul real con fleco blanco como también vestía los miércoles y en algunas ocasiones los viernes. Ella también había envejecido igual que yo. Deja que el fleco del vestido se alze un poco más arriba de sus hombros, y su delantal luce limpio y planchado, se acomoda amplio en esas caderas que han dado a luz. Creo que una vez me confió que tenía tres o cuatro hijos. Estoy seguro que ya son mayores de edad. Ese día terminé mi desayuno y dejé la misma propina de siempre, justo debajo de la taza de porcelana que parecía llevar también ya el paso de los años igual a ambos.

"A-di-ós Gloria, ¡nos vemos la próxima semana!"

"Si dios quiere Señor Harry, si dios quiere, bye-bye."

Antes de salir por la puerta principal, asentí con la cabeza en dirección hacia el dueño y tomé un palillo de dientes cerca de la caja registradora.

Una vez afuera, compré el periódico del condado de un puesto cercano. Fue entonces que pude apreciar más de cerca a ese hombre. Traía una gorra de béisbol puesta al revés, una camiseta manchada y pantalones sueltos color kaki. Todos conocemos esa clase de individuo. Algunos van tatuados con nombres de calles locales, apellidos en Español y retratos de mujeres. Suelen estar en las esquinas donde hay tiendas de licores o en las tiendas de donas aquí en mi ciudad. He procesado la parte que me corresponde en las últimas cuatro décadas. Este hombre se encontraba entre haber sido alguien que abandonó la escuela secundaria y un padre irresponsable, al menos eso fue lo que pensé ese día.

Mantuve la vista fija en él y crucé la calle para dirigirme hacia mi Cadillac. Él se había establecido en el lado sureste de la calle. Basándome en lo que Gloria me dijo, pensé que estaría trabajando en algún proyecto del dueño de la tienda de licores y el dueño del restaurante, imaginé que por fin había obtenido un trabajo real y difícil para sí mismo. Me senté dentro de mi coche por cerca de media hora observándolo--ya sabes, para asegurarme que él se supiera que yo sabía lo que estaba haciendo. Antes de alejarme llamé al departamento, les pedí que enviaran algunas unidades patrulleras para que pasaran por la esquina de Custer y Washington en los siguientes días, sólo para mantener a ese hombre haciendo lo debido.

Regresé esa misma semana. Además, ya llevaba décadas invirtiendo en ese lugar. No solamente es el segundo restaurante Mexicano más antiguo en el condado, también está ubicado en el primer barrio Mexicano de mi ciudad. Muchos de nosotros--gringos--hemos acudido a ese lugar por años. Lo mantenemos a flote. A través de los malos tiempos que ocurren en este barrio, Barrio Logan lo ha sobrevivido todo de alguna manera. Y este restaurante es muy acogedor y frecuentado por gente que no vive aquí acerca, muchos como yo. Simplemente deseaba cuidar el interés de todos, muy pocos lugares en áreas como ésta eran reputables.

A mi regreso, el hombre ya había pintado algunos perfiles de los soldados en tonos de sepia Parecían bastante realistas así que quise saber más acerca de ellos.

"Saludos, ¿qué es lo que pintas, hijo?"

"¿Qué no es obvio? Pinto veteranos de la guerra."

"Pues lo puedo ver, pero ¿cuál es el propósito de todo esto, acaso tu viejo era un veterano?

"No señor, mi *viejo* vive en México," Reí luego de esa declaración. Una parte de mí trataba de ser sarcástico. Le brindé el beneficio de la duda. No parecía saber quién era yo. Para él, pienso que era yo solo otro grin-go.

"Entonces ¿por qué tanto interés en los veteranos de la guerra?"

"¿Acaso necesito una razón para honrar a aquellos que lucharon por nuestro país, señor?"

"Bueno, no. Es algo bastante honorable. Sólo me preguntaba por qué un tipo como tú hacía algo así."

"*Un tipo como yo,* sí, creo que as lo vería *un tipo como usted.*"

"Sin ofender, chico..."

"Ah pero es que no me ofende señor, no es la primera vez que *un tipo como usted* me cuestiona así. No estoy ofendido, quizás porque ya estoy más que un poco acostumbrado."

Sarah 4

Quizás usted debería leer los nombres de estos individuos, mirar sus rostros de cerca y con intensidad, mucha intensidad--permita que el arte le hable. Quizás le dirán por que *un tipo como yo* se está cerciorando de que todos los miren. Ellos también lucharon por este país, pero a pocos de ellos se les reconoce cuando deambulan por nuestra ciudad, especialmente por *tipos como usted,* señor."

"Gómez, Martínez, Peña, Rodríguez..." Mencioné algunos de los nombres en voz alta, para que se diera cuenta de que hablaba en serio.

"Para cuando termine, tendré muchos más nombres sobre este mural para que usted los lea," el muchacho habló con tanta seguridad en sí mismo, sin acento o mal uso de palabras. Su Inglés era claro, no turbio como el de Gloria. No podría saberlo a ciencia cierta, pero él ha de haber nacido aquí. Tenía demasiada confianza para mi parecer.

Todo ese primer año, regresé una y otra vez. Algunas veces él estaba allí. Otras veces pasaban semanas enteras sin verlo.

"Gloria, ¿qué pasó con tu amigo José?

"Señor Harry, ¿lo ha estado vigilando?"

"Tengo ambos ojos puestos en él, Gloria, asegurandome de que esté seguro."

"Ay Señor Harry, nuestra ciudad es muy segura. José trabaja y algunas veces no puede venir a pintar el muro. Sabe, lo está haciendo gratis. ¿Qué no es eso amable de su parte?"

"¿Así que el dueño no le está pagando? ¿Cómo obtiene los materiales?"

"Nuestra gente se encarga de él, Señor Harry. Algunas veces le damos de comer. En ocasiones la gente le trae pintura. Mucha gente, alguna que vive a 100 millas de distancia le traen fotos de sus

Sarah 5

familiares para que los pinte. Gente cuya familia también vivió aquí."

"Ah, vaya. Nunca pensé que estuviera haciendo eso con su propia moneda."

"Señor Harry, ¿usted creía que alguien le estaba pagando?"

Gloria alzó su ceja derecha y me miró con fijeza. Me sentí un poco avergonzado.

"Pues sí, ¿por qué iba a hacer alguien como él algo por sí solo?"

Gloria se limitó a mover la cabeza con desaprobación, recogió mi plato y se alejó.

"¡Ay! ¿Oíste lo que dijo? Todos estos años comiendo aquí y todavía no conoce nuestro barrio o nuestra gente."

Luego dijo algo incomprensible que no entendí. Era la primera vez que no parecía estar muy contenta conmigo. O quizás era la primera vez que la había escuchado y que me había importado no entenderla.

Regresó con mi cambio sin decir una palabra. Me sentí mal pero no sabía por qué. Le dejé un dólar más que lo usual, para hacerle saber que no había pretendido insultarla a ella o a José.

De alguna manera ella me preparó para lo que estaba por venir. Hizo que yo viera las cosas de forma diferente. Al no ver a José allí decidí ir a ver más de cerca su obra. Quería ver los nuevos rostros.

"¿Qué es lo que no he visto?" pensé para mí mismo.

Pero no esperaba ver lo que ví. No me lo esperaba de ninguna manera.

El mural lo había empezado rápido, José pintó un puñado de rostros en pocos días pero luego disminuyó el paso por un tiempo. Los rostros eran demasiados realistas. Al principio, pasé mis dedos sobre ellos. Luego tracé los esbozos de aquellos que aún no pintaba. José había usado los matices

Sarah 6

exactos de café y verde para recrear los tonos de la piel y los uniformes militares. El soldado POW-MIA o prisionero durante la guerra-perdido en acción era el más visible. Vi su rostro de soldado extraviado fijamente, sin saber qué respuestas obtendría.

"Oye, te he estado viendo por aquí desde que el muchacho me pintó a mí y a mis compadres. ¿Tú también esperas a que pinten algún miembro de tu familia o qué?" La voz chasqueó, parecía estar justo al lado mío.

Me volteé pensando que José había llegado a hurta-dillas detrás de mí para asustarme. Pero no había nadie a mi alrededor, ni a mi izquierda o frente a la calle.

"Oye, te estoy hablando. ¡Sí, a tí! Deja de mirar sobre tu hombro, hombre, aquí, frente a tí," ésta vez la voz se escuchaba más fuerte, y de reojo vi algo en el muro moverse.

Era un busto con el nombre de González, a sólo dos más arriba del rostro del hombre POW. Llevaba puesto un casco de la guerra de Vietnam con una correa del mentón.

Sus pequeños ojos color café y su mirada de desdén

se movieron en mi dirección, parecía que masticaba algo y escupió un líquido color oxidado sobre el suelo desde las grietas de sus labios.

"Un hábito repugnante, compadre, jamás empieces con el tabaco de mascar. Es más difícil de dejar que los cigarros. Pero es lo único que me mantenía despierto cuando tenía que hacer guardia toda la noche." la voz rasposa reverberaba desde el muro.

Froté mis ojos. Pensé que quizás la salsa picante me había causado indigestión. Quizás necesitaba más café. Mierda, quizás estaba teniendo un ataque cardiaco. Lo miré fijamente, pero él continuó masticando y tratando de hacer que yo hablara.

"Sé que me puedes oír. Parece que acabas de ver un fantasma, no pensaba que un gringo como tú pudiera verse más blanco," se rió. Sus ojos saltaban de arriba a abajo y tenía los labios en forma de puchero como si tratara de silbar.

"Ay, sólo bromeo, no pienses que soy racista. Son nombres que nos dábamos cuando estábamos en combate. A mí me dieron el nombre de Mexi en mi escuadrón," la imagen continuó parloteando como si supiera lo que estaba pensando.

"Sabes, la mayoría de los jóvenes no saben mucho de Vietnam, y esa gente no es tan diferente de nosotros los Mexi-canos. Demonios, comen tanto arroz como nosotros y chile también. Prácticamente, casi somos primos. Y yo, un mojado que fue a Vietnam para mojarme aún más en las plantaciones de arroz." aquí volvió a reír.

"Chinos, así les decía yo antes de ir a la guerra. Chinos, hasta que vi como mataron a uno de ellos. Cuando ese mucha-cho cayó, vi el rostro de mi hermano menor. Vi a mi jefita parada sobre él, gritando en agonía, acunandolo en sus brazos como a un bebé, así como mecía a mi hermanito---hacia enfrente y hacia atrás, hacia enfrente y hacia atrás. Ahora sé que no todos los Chinos son Amarillos, como los llaman algunos gringos. Son morenos como yo. Si compadre, todos son morenos como yo," su voz tembló al decir esas últimas cinco palabras.

Y de pronto la boca pintada dejó de moverse de un lado a otro. Yo no sabía ni que pensar, así que no le dije a nadie. No me acerqué a ese mural por el resto de ese año.

"¡Mira, es un milagro! Hola Señor. Harry! Donde se había metido, está todo bien?" Gloria empezó la conversación en cuanto entré al restaurante.

Sarah 8

"Uy he estado muy ocupado en la corte, Gloria, bastante ocupado con todas esas pandillas haciendo un porquería de mi ciudad. Pero sí, estoy bien."

"Ay Señor Harry, estaba preocupada, pensé que algo le había pasado," su sonrisa era la misma de siempre, luego colocó una taza sobre la mesa y la llenó de café.

"No-no, no te preocupes Gloria, estoy tan saludable como un toro! Y hoy quiero comer..."

"Huevos Rancheros con tortillas de harina, yo no lo olvidé, Señor Harry, feliz de que vuelva a estar aquí," lo dijo tan felizmente, como si nunca antes me hubiera alzado una ceja.

"Oiga Señor Harry, ¿ya vió? José ya casi termina, ¿qué acaso no se ve bonito el mural?" sus palabras me tomaron por sorpresa. Había estacionado mi auto deliberadamente al otro extremo del restaurante, para no volver a ver esos rostros.

"No, no, no lo he visto Gloria. Así que el hombre ya casi termina, bueno pues tendré que inspeccionarlo."

"Ay Señor Harry, no siempre tiene usted que actuar como un abogado. José es un buen hombre. Quizás no se viste como usted, pero también es bueno," me miró directamente a los ojos y trasladó su peso al pie derecho esperando mi respuesta.

"Dime Gloria, ¿conoces alguno de esos rostros, son también familiares tuyos?"

"Míos no, pero el Señor Espíndola, está plasmado sobre el muro, aún vive en nuestra ciudad, lo conozco. Ya está viejo pero orgulloso de haber servido en la segunda guerra mundial. Tengo un primo en la militar. Lo hizo para ser ciudadano de los Estados Unidos y tener un trabajo seguro," me guiñó un ojo y se encaminó hacia la cocina. Luego de salir del restaurante, evité el mural, esos rostros. Pero continué frecuentando, y un día tras varios meses, otra vez volvió a llamarme una voz al salir del restaurante.

"¡Oiga Señor Harry! Acá estoy, al voltear la esquina," la voz parecía joven pero lo suficientemente ajada para ser José, así que decidí ir a ver por qué me gritaba.

Al momento en que volteé en Custer no pude resistir mirar hacia el mural. Ya llevaba más de la tercera parte finalizado. Pensé, "¿Ha pasado tanto tiempo así desde que miré esos rostros?"

El mural masivo ya estaba en su cuarto año y casi terminado. Con aproximadamente 160 rostros de hombres y mujeres y algunas escenas de varios frentes, incluyendo a mujeres en uniformes de enfermera y el bellamente detallado perfil de Anne Frank también, el mural era más que arte, era una historia oral.

"Hola Señor Harry, ya había escuchado hablar sobre usted," una nueva voz emergió del mural.

El cuerpo llevaba el nombre de "Espíndola" y también estaba representado con uniforme. Aparentaba ser un joven vestido de verde olivo de combate, empuñando una arma y arrodillado con la cabeza agachada hacia el sur, ante la representación de la bandera Americana. Detrás de él, otros dos jóvenes también vestían uniforme de batalla con cascos de guerra, cómo Gonzalez. Uno de los jóvenes estaba sobre un montón de tierra con los ojos cerrados. Estoy casi seguro que simbolizaba una fatalidad, el segundo de más edad dando la espalda parecía listo para disparar hacia enfrente.

José también había añadido escenas de un campo de concentración y había doblado el ámbito del mural original para cubrir todo un lado del edificio--mostraba docenas de hombre del número estimado de 500,000 soldados Mexico-Americanos que habían luchado en la segunda guerra mundial.

Ellos también eran parte de la generación que pagaron el precio por mí, mi familia--y todos---para estar aquí.

"Oiga Señor Harry ¿me puede ver? Sé que sí. El muchacho hizo un buen trabajo, ¿verdad? No estaba seguro si lo lograría. A ver, cómo podría él saber por todo lo que pasamos y saber en cuál lugar ponernos. Pero mira la sonrisa en el rostro de la Señorita Frank y los aviones volando en ese cielo azul y la orgullosa águila. El chico sabe su historia, y ahora también forma parte de ella," habló con la cabeza inclinada como en oración. Era el susurro de un muchacho joven, con la sabiduría de un hombre viejo. Lo escuché hablar claramente. Lo escuché. Y por primera vez, también los pude ver a todos. Todos eran Mexicanos, su señoría.

Continúo regresando al mural para escucharlos hablar, para oir su versión de la historia. Aunque jamás digo yo algo, su señoría, siguen hablándome, recordándome--recordándome que ellos también tienen un lugar aquí y en nuestra historia.

Así que, su señoría, tendré que reclutarme de este caso. No puedo decir que este hombre cometió el crimen que mi ciudad dice que hizo. Sobretodo, él me ha enseñado una lección, que yo jamás hubiera puesto en marcha esas leyes contra el grafiti y requerimientos judiciales contra pandillas. Esta ciudad no es mía para reclamar. Esta gente, sí, esta gente es la única que puede reclamar estos muros y estas calles. Esta gente ha invertido en nuestra ciudad y también en nuestro país.

LA
FUENTE DE LOS
DESEOS

No hace mucho tiempo, vivía una escritora Chicana que a diario miraba a través de la ventana. Vivía en el segundo piso frente a La Fuente de los deseos de la pequeña ciudad. Ella le llamaba La Fuente. Le parecía extraña aquella rústica fuente hecha con mármol dorado y un estanque perfectamente redondo. Se veía fuera de lugar con su pedestal y columna delicadamente esculpidos. Ella se imaginaba que fácilmente podría vivir en los paseos de Italia o España sin que hubiera duda alguna sobre su propósito, pero aquí en el centro de la villa de los artistas en la pequeña ciudad, La Fuente aparentaba ser más como una farsa que un lugar para arrojar deseos.

Una mañana en particular, mientras frotaba el sueño de las orillas de sus ojos, la escritora se sentó frente a su escritorio antes de empezar su ritual matutino de hervir agua, moler los granos de café y freír huevos. Los rayos del sol entraban gradualmente por la ventana vecina hasta centellear sobre la grande mesa de madera como un supernova en un cielo de medianoche. La melodía de la llovizna y graznidos distantes la despertaron de su trance sombrío.

"¿Lluvia? No lo creo, los pericos no vuelan en un clima así," pensó para sí.

Una a una, más luego demasiadas para contar, cadencias de gotas de agua interrumpidas por los aullidos de los pericos y los silbidos de los carros saludaron el renuente amanecer y también a la Chicana. Súbitamente, el coro de la ciudad hizo eco con un ritmo familiar de los meses anteriores. Se levantó de su silla para abrir las polvorientas persianas. Parecía estar más despierta que antes, tomando nota de cada sonido diminuto, inhalando la salvia que había puesto a quemar y contando los coches que pasaban por allí apresurados. La escritora fácilmente se había olvidado de La Fuente debajo de la encorvadura de la ventana. La habían cerrado por casi ya seis meses o quizás más, y desde entonces los días se habían convertido en distracciones frívolas de lo que se había propuesto hacer.

Hasta ahora se había abstenido de abrir las persianas de la ventana y la gente de la ciudad había dejado de buscar La Fuente por completo.

"¿Para qué creer en eso? No hay por qué creer en una fuente de los deseos si ya no ofrece esperanza," lo llegó a pensar.

Pero en este día, ella escuchó los familiares canturreos de antes. Habían pasado semanas desde que la Chicana pudiera dormir toda una noche o poner palabras sobre una hoja de papel. Estaba decidida a ver el agua caer--esperaba que esto incitara su inspiración al dar testimonio sobre más secretos oscuros de la ciudad.

Allí cerca de La Fuente estaba una aparición, similar a las otras imágenes que allí se reflejaban antes de que se secara. Las escenas eran como himnos no cantados, poemas callados derramándose sobre la orilla de La Fuente, y algunas veces hasta hologramas retratando pesadillas y desaliento. Ella pensaba que

era su musa, como un álef para ver más allá de las verdades
de esta ciudad dorada, la ciudad de oro como la gente decía.
Esta vez las letras formaron palabras, palabras que se volvieron
figuras, y un hombre de mediana edad y una mujer anciana en
una silla de ruedas cobraron vida.

Podría ser su madre.
Podría ser su hijo.
Ella está en una silla de ruedas,
ambos carecen de un hogar.
Ella refleja su edad en el agua.
Él se adentra para encontrar algo de plata.
Ella retuerce la esperanza entre sus palmas,
ambos suspiran por el ayer y por el mañana.

Él indaga dentro de sus gastados bolsillos,
ella hace un gesto de que no tiene importancia.
Él sostiene una moneda de cobre entre sus dedos,
ambos sonríen por el había una vez.

Ella arroja sus últimos pensamientos en La Fuente de los deseos
Él toma su mano, y ambos se alejan bailando un vals.
Ambos en la búsqueda de un mejor día.

Inmediatamente, la Chicana recordó los meses antes
de que La Fuente fuera vaciada por completo. Cuando rostros
familiares y escenas comunes empezaron a surgir en la villa de
los artistas, cuando deseaba apartarse de su escritorio y quería
saber más sobre la gente, ella también quería arrojar su deseo.
Pero era forzada a permanecer en el segundo piso, forzada por
su voluntad de escribir y escudriñar las verdades alternativas de
la ciudad. Simplemente veía a través del vidrio de la ventana, se

preguntaba si alguien más creía también en las historias de La Fuente.

*

Muchos, muchos meses atrás, cuando la Chicana empezó a ver escenas ocurriendo alrededor de La Fuente, también empezó a dudar de su percepción. Los transeúntes que no parecían notar o mostrar preocupación por todo lo que pasaba a su alrededor la desconcertaban. Ella observaba con más cuidado luego de haber sido despertada a mitad de la noche por voces aterradoras y el olor a tocino quemado, pensó que estaba atrapada entre el mundo del sueño y de la realidad, donde todo era borroso pero también demasiado familiar para ser un sueño.

El parloteo diabólico la llamaba desde el paseo donde La Fuente hacía eco de las gotas de lluvia como siempre lo había hecho antes. Mientras caminaba hacia las persianas, envolvió sus hombros con una cobija de punto, dejándola arrastrar detrás de ella. El lenguaje perturbador y las imágenes horrendas la despertaron de lo que ella pensaba era sólo un trance.

"Oye, deberías de haber visto como maltraté a uno de esos vagabundos, tan loco como todos los demás."

"¡Caray! qué hiciste, engañaste a ese loco?"

"Lo dejé sentarse en la banca y que pensara que todo estaba bien, como si tan sólo pudiera quedarse allí. Luego me pare detrás de la banca y lo asusté, sólo para que él pareciera agresivo y luego lo golpeé justo en ese momento. El hombre brincó bastante alto y empezó a gritar. Me lo llevé, no creo que nadie lo vaya a extrañar a él o a ninguno de los otros desquiciados que se amontonan en el viejo depósito de autobuses."

Las bestias vestían completamente de negro con pezuñas de caballo en vez de zapatos y pinzas de cangrejo donde termina el brazo, abriendolas y cerrandolas en el aire mientras hablaban. Hocicos de marrano escondían el resto de sus caras y bufaban grotescamente justo antes de empezar cada oración.

La Chicana no podía creer lo que sucedía allá abajo, hablaban como humanos pero se parecían a ese diablo que su abuela decía que vagaba en las discotecas de los pequeños pueblos en Jalisco.

Allí se aparecía con un olor a quemado, pero el espíritu maléfico tenía una pata de gallina y una cola. Había un rastro de agua que se extendía debajo de las pezuñas del caballo y hasta La Fuente de donde se originaba. Esto motivó a la escritora a hacer apuntes rápidamente en un trozo de papel, hasta intentó tomar una foto pero cuando la tomó, las espantosas figuras ya habían desaparecido entre las sombras de la villa de los artistas. Al día siguiente relató su alucinación en su cabeza una y otra vez, no podía convencerse de contárselo a alguien. Tenía temor de que las bestias hociconas se enteraran y regresaran a atraparla a ella también. Así que simplemente descontó esa noche como un momento entre el soñar y estar despierta, y desde entonces empezó a perder el sueño a diario.

*

La segunda vez que algo la despertó, no escuchó a los pericos ni a las carcajadas estridentes. Esta vez las vibraciones desde su ventana la hicieron pensar que estaba experimentando un temblor. A la vez, una luz tumultuosa brilló desde el cielo, dejándose entrever por las persianas, como si fuera el mediodía en un día soleado. De nuevo, la Chicana miró hacia el paseo---sin embargo, lista para correr hacia su cama si llegara a ver de nuevo a las bestias agazapadas debajo de su ventana.

"Ay no puede ser, ¿tan pronto otra vez de día?" Lo dijo en

voz alta, dudando su propio estado mental.

A primer vista no miró a nadie en el sendero, sólo La Fuente salpicando en harmonía. De repente, una voz de dios reverberó sobre el área, "¡Alto, deja de correr!" La luz, que provenía desde un helicóptero allá arriba, se esparcía por todas partes en la villa de los artistas. Luego la voz severa lanzó un segundo hechizo, "Un hombre moreno entre la edad de 14 y 18, lleva puesta una sudadera negra y posiblemente va armado, con rumbo hacia el suroeste."

Y justo cuando se escuchó la última palabra, la Chicana vio a un joven corriendo por La Fuente, prácticamente tropezando dentro del agua como si intentara encontrar un portal hacia otro mundo. Cuando se apresuraba a reponerse de su caída, volteó hacia arriba y sus ojos reflejaron a la escritora.

El joven moreno era tan só lo un chamaco temblando y con los puños cerrados.

"¿Un niño? ¿Quién lo persigue?" La escritora se preguntó.

Un millón de pensamientos se agruparon en su mente. Recordó haber leído sobre los problemas de pandillas que la ciudad prometía minimizar, por lo menos eso se leía en los encabezados de los periódicos. Ella recordaba las declaraciones de incontables familias que reportaban a sus adolescentes extraviados y asesinados por la policía.

Por un segundo el joven moreno con la sudadera negra se detuvo cerca de La Fuente mirando a la Chicana como la muerte mira desde la distancia a aquellos que ya están a sólo momentos de exhalar su último suspiro. Pero las monedas tintineando a corta distancia hizo que volteara su cabeza. La Chicana estaba confundida por el constante tintineo. El muchacho inmediatamente huyó del sonido, desapareciendo del punto de observación de la escritora. El choque de monedas se hacía más fuerte e incluía una nueva tonada que la escritora no había escuchado antes en la villa de los artistas. Empezó caprichosa como móviles musicales, el tintineo se acercaba, la silueta de una persona empezó a pixelarse cerca de La Fuente. Allí estaba un hombre blanco con un traje negro y botones brillantes en las muñecas. Al igual que las bestias de la noche anterior, su rostro era invisible. Caminaba lentamente, casi flotando sobre el sendero de ladrillo y fijamente con dirección hacia donde el muchacho moreno había huído. Cuando estuvo bajo la ventana de la Chicana, metió su mano al bolsillo izquierdo. Fué entonces que ella escuchó el tintineo, tintineo de nuevo, esta vez de un tono insoportable, lo que causó que se tapara los oídos y apretara los ojos. Cuando el ruido siguió de largo, abrió las persianas inmediatamente. La Fuente estaba sola en el silencio.

Esa misma noche, ella escribió la historia del joven moreno, describiendo todos los sonidos que escuchó como una canción de cuna de carrusel.

*

En la tercera noche la escritora se quedó despierta toda la noche escribiendo otra historia negra de la ciudad de oro, empezó con un comentario sobre la apariencia de La Fuente.

"El agua es tan seductora, hasta la luna también baila con ella," se dijo para sí luego de voltear a sonreírle a la luna llena.

Había limpiado La Fuente ese día el hombre que siempre caminaba por la villa de los artistas mientras empujaba su bicicleta, sacaba basura y una lata de cerveza que flotaba en la superficie. La escritora escribió sobre ese hombre, principalmente porque se conmovió ante su bondad.

El hombre, el que va sobre una bicicleta a su trabajo a diario, luego la orilla hacia la banqueta, para ser cui-

dadoso, para mirar sobre su hombro, para asegurarse de que la policía no lo ha convertido en un sospechoso.

El hombre, un Mexicano, un paisano, un trabajador laboral, un empleado de casa, usa un casco, carga una mochila y palmas callosas entre oraciones matutinas.

El hombre, el de la piel morena y un día sin fin, sonríe cuando alguien le sonríe, nunca llega tarde pero si va deprisa, él es quien abre su cartera cada vez que un vagabundo pide algo de cambio cerca de La Fuente.

Luego ya por la noche el estanque alrededor de La Fuente iba lleno de olas continuas como si estuviera riendo o bailando interminablemente al son de una canción silenciosa. Las pequeñas olas de felicidad hipnotizaban a la escritora. En su quietud, La Fuente delineaba una sombra haciendo piruetas, una figura curvilínea distrayendo la atención de la escritora que buscaba quien anduviera cerca. Allí estaba, como una mariposa bailando un vals celebrando su nueva etapa de vida por primera vez.

Con la perfecta matiz color caramelo, sus rebotantes claireles totalmente complementaban su piel color nuez. Llevaba su propio andar--las rotaciones de La Fuente guiaban al mítico ser a voltearse y a girar sensualmente —como una princesa en un baile de gala, adornada y ataviada con un vestido color marfil de lentejuelas, especialmente ajustado a su medida.

"La reina de reinas," Chicana lo dijo en voz alta y maravillada.

No conocía a ningún otro personaje que pudiera competir con la reina de La Fuente, ni siquiera las bestias podrían perseguir a tan atrevida belleza. Pero la reina se fue flotando como lo hacen todos los personajes de cuentos de hadas.

Tiempo después se supo que la
linda reina que había visto y sobre quien
había escrito era en efecto una persona
real, no solamente una ilusión o un
fragmento de su imaginación provocado por el encanto de La Fuente. Los
encabezados de periódicos divulgaron la
extraña premonición.

"Mujer Transgénero fue atacada violentamente en el
centro de la ciudad, la policía busca a los sospechosos del
crimen de odio."

Unas semanas después, los periódicos revelaron el
nombre de la sobreviviente. Marisol sobrevivió para contar su
propia historia y le daba crédito a su amiga Zoraida por salvar su
vida---la escritora dió un grito ahogado ante la coincidencia y
comenzó a pensar que La Fuente era más que tan sólo parte de
la decoración de la ciudad de oro.

*

La cuarta vez sucedió a mediodía, algo irradiaba de La
Fuente de los deseos, forzando a la escritora a mirar hacia
abajo una vez más, Una mujer anciana Mexicana con un rebozo
negro, tejido, colocado alrededor de sus hombros estaba
parada firmemente con ambos pies al lado oeste de La Fuente,
como un viejo árbol de roble con sus raíces brotando a través
de los desgastados ladrillos allá abajo. Dándole la espalda a la
Chicana, lo único visible era una moneda reluciente en la palma
de su mano. La anciana mujer habló inquieta para sí, volteando
su cabeza hacia la derecha varias veces.

""Ya sé Modesta, no es necesario que sigas gritándome.
Esto es lo último que te voy a pedir que hagas, yo sí creo en
estas cosas. Ya sé que soy tan sólo una vieja para la mayoría de
la gente, pero yo creo lo que creo, y ni tú ni los oficiales de la

ciudad me van a contradecir."

"Esta viejita no se parece a los demás vagabundos regulares o parte de los espejismos de La Fuente," pensó la escritora para sí.

"Y te dije, que no me importa si no hay más monedas allí, ¡ésta moneda de cinco centavos no significa nada para mí si no la tengo en mi casa! Ahora, entre más pronto me dejes hacer esto, más pronto podemos ir a ver a mi abogado."

"¿Abogado? Ay pobrecita viejita. Me pregunto en qué tipo de problemas está metida," Para entonces, la Chicana no podía dejar de escuchar y decidió abrir la ventana para escuchar con cuidado.

"Sshhh, déjame pensar Modesta!" Esta vez la viejita agitó su brazo derecho hacia arriba y hacia abajo ante la nada.

"Ay dios, ésta viejita ha de estar viendo un fantasma o visiones igual que yo," aquí la escritora soltó una risita luego de su comentario y decidió ignorar toda la escena pero no podía ignorar a la vieja allá en el fondo.

"Bien Modesta, ese fue mi último deseo. Ahora sí podemos ir a ver a mi abogado. No voy a vender mi casa a la ciudad o a esos constructores, estoy haciendo todo en mi poder para quedarme con ella, vas a ver, vámonos!" Y ante su última palabra, el silbido de un tren bramó justo debajo de su ventana. La Chicana dió un salto e inmediatamente se salió de su asiento en busca de la viejita. Para entonces, la viejita ya iba tan lejos por el camino que no logró ver su rostro. Pero allí estaba una joven mujer vestida con un atuendo oscuro, con los botones cerrados hasta la barbilla y ajustada de la cintura para arriba, cómo los vestidos estilo pradera de los 1800. El cabello negro de la mujer iba peinado hacia atrás en un chongo, cuando la escritora notó los pies de la mujer no vio nada más que una sombra en el concreto. Ésta mujer siguió a la viejita. Y justo detrás de ella, miró también a dos bestias hociconas deslizándose hacia ellas, todos ellos desapareciendo al final del paseo.

En ese momento, la escritora se convenció de que no volvería a ver o a escribir sobre esos seres malvados de nuevo, sintió como temblaba y escribía el nombre de la infame "Mujer de Blanco" sobre los rieles del tren, "Modesta Ávila"---mejor conocida en la historia local como el primer felón del condado y prisionera del estado.

*

Una de las últimas ocasiones que la escritora fue testigo de una historia desarrollándose cerca de La Fuente, ocurrió temprano por la mañana cuando los pregoneros de la ciudad llamaban por primera vez. En la ciudad de oro son los pericos color verde limón los que empiezan y terminan los días. Tienen una manera de establecer el tono para lo que está por venir, si ellos no lo anuncian, las nubes grises y la lluvia lo hace. Una mañana en particular cuando la escritora freía huevos y hervía agua como siempre lo hacía, fue sorprendida por una multitud de voces chillonas.

"¡Levántateee, levántateee, levántatee!"

Ella inmediatamente corrió a abrir las persianas en busca de alguna protesta o un grupo de vagabundos confusos. Y fue entonces que escuchó los cantos otra vez.

"Levántateee, levántateee, levántatee, levántateee, levántateee, lev..."

Salieron dando vueltas desde el estanque, girando alrededor del pedestal dorado y saliendo disparados directamente hacia el cielo. Al principio, ella contó veinte, luego treinta más y entonces parecía que nunca iban a parar de materializarse de La Fuente. Recitaban la misma palabra simultáneamente y eran idénticos, como bombas cayendo de Black Hawks en el corazón de Siria si el mundo fuera al revés y la ciudad de oro se transformara en ruinas.

"Levántateee, levántateee, levántateee!"

La vívida escena congeló a la Chicana. Era en la mitad del día, estaba totalmente despierta---no existía ninguna singular circunstancia que la pudiera convencer de que sólo era un espejismo o parte de un sueño. No estaba dormida. Ni siquiera estaba mirando una pantalla en blanco. Fue entonces que los huevos que freía empezaron a chisporrotear y escuchó a su tetera silbar. Corrió hacia la estufa. Torció dos manijas. Y pisoteó su cama al regresar corriendo de nuevo a la ventana.

Los pericos continuaron su vuelo hacia el cielo, gritando su mantra sobre la villa de los artistas. Pero ahora allí se encontraba una jovencita, cerca de doce años, caminando hacia La Fuente. No aparentaba notar los pericos o nada más. Se sentó en La Fuente con dirección hacia la escritora con su nariz metida en su pequeña libreta. No mucho después, su padre llegó y le dió una bebida caliente. Le habló en tonos tan bondadosos que la escritora apenas alcanzaba a escucharlo en medio de los graznidos de los pericos.

"¡Levántateee, levántateee, levántateee!"

"Hija, permanece aquí en La Fuente, voy al banco. Cuando termine, regreso por ti," le dijo suavemente, besando su frente y mirando hacia atrás un par de veces mientras se alejaba.

La Chicana no lograba entender por qué ni el padre ni la hija se percataban de los pericos y justo cuando estaba por frotarse los ojos para confirmar que no estaba soñando despierta, el remolino color esmeralda y el padre de la niña también desaparecieron.

Para entonces la escritora ya no sabía qué esperar. Hizo el intento de sacarlo de su mente continuando con su ritual matutino---huevos fritos, dos tortillas de maíz, y café negro y caliente. Hasta quemó más salvia para limpiar sus sospechas inquietantes. Mientras comía despacio, mantenía la vista en la niña. Después de un rato, la niña empezó a sorber su bebida y a comer algo del pan rosa que había envuelto en una servilleta. La escritora continuó su día pero regresaba a ver a la niña cada hora hasta que observó que la niña miraba sobre su hombro repetidamente. Y fue entonces que la Chicana vio a las bestias hociconas nuevamente. Esta vez caminaban de puntillas sobre sus pezuñas, como si trataran de sorprender a alguien con sus pinzas de cangrejo colocadas justo debajo de sus hocicos viscosos. Ellos patinaron de poste en poste eléctrico, zigzagueando desde el final del sendero de ladrillos hacia La Fuente. Uno de los demonios se encontraba a tan sólo unos cuantos pies de la niña.

"¡Ay no, andan trás de ella!" La Chicana pensó para sí.

Tuvo dificultad para abrir la ventana, luchando con sus propias manos y fracasando para coger la manija con calma. Ella había planeado gritarle a la niña que corriera, pero justo entonces los pericos regresaron a La Fuente y la volvieron a aturdir tanto que decidió anotar su patrón de vuelo y contarlos en voz alta.

"...diecinueve, veinte, veintiuno, veintidós..."

Esta vez viajaban en reverso, girando alrededor del pedestal y yéndose en clavado dentro del estanque. Al entrar uno por uno, el estanque tomó la forma de una vorágine, creando un túnel en las profundidades de la tierra. Sin motivo alguno y su padre por ningún lado, la niña corrió detrás de una pareja que salía de la villa de los artistas, los tres se perdieron de vista para la escritora. No sabiendo que era realidad o que era parte del encanto de La Fuente, la escritora se empezó a preocupar por la niña perdida y el padre extraviado. Antes de poder continuar pensando en ello, las bestias hociconas la sacaron de sus pensamientos. Uno tras otro, estos brincaron dentro del túnel de La Fuente, luego se desvanecieron en un pestañeo. La

Fuente continuó rociando agua como si nada hubiera pasado a través de la misma.

Todo esto le recordó a la Chicana de una fábula parecida donde los padres abandonan a sus niños en un oscuro bosque, obligándola a pensar por qué razón alguien abandonaría a su pequeña hija en el centro de esta ciudad de oro.

*

Cuando la escritora al principio vio como el hombre era cuestionado por la policía, pensó que era un día ordinario en que La Fuente hacia lo que debería estar haciendo—un monumento en el centro de la ciudad, un lugar donde los artistas y el arte por igual circundaban su presencia. No fue hasta que vio a uno de los policías apuntar hacia el grafiti en el edificio local de gas que notó las pezuñas.

Aún así, sabía que no era el hombre que habia dejado su marca en la blanca pared. De hecho, había sido una mujer. La escritora no se molestó en reportarlo porque era obvio que la mujer no tenía hogar y estaba perturbada por su situación. Y pues, había observado a mucha gente en el paseo ignorar o agitar a la comunidad de vagabundos locales tan solo para quitarlos de la vista y muy lejos de sus puertas.

La conversación con el hombre que acusaban empezó a subir de tono. Apuntaban hacia sus manos y pantalones manchados de pintura, y con esas acciones las manos de los policías se fueron transformaron en pinzas de cangrejo y comenzaron a bufar entre palabras. El hombre inocente tenía la piel morena, media no más de 5 pies con 9 pulgadas de apariencia desaliñada. Tenía las manos moteadas de pintura, en particular negra y roja. Sus pantalones aparentaban ser su paleta personalizada, mostrando una combinación de colores tierra y grises. Meneaba la cabeza en señal de desaprobación, rogándoles que le permitieran regresar a su trabajo.

"Señor, señor, tienen a la persona equivocada, tan sólo tomé un atajo y ahora quieren acusarme de esto? ¡Ni siquiera es lo que yo hago!"

"Gr, gr, ah si en verdad no eso es lo que haces?"

"Pinto casas, pinto apartamentos, ahorita también estoy pintando un mural en el Barrio Logan." "Gr, gr, y esperas que te crea que no fuiste tú el que pintaste esto mientras pasabas por aquí?" "Ni siquiera estoy manchado de pintura y eso parece una marca de un maldito plumón! Yo no hago ese tipo de pinturas."

"Cálmese, señor, se está poniendo muy agresivo, gr, gr," una de las figuras hociconas respondió mientras que el otro colocaba una de sus pinzas sobre la pistolera. La Chicana se sentía perdida, sabía que no podía intervenir y se vería como una loca gritando por la ventana, ni siquiera estaba segura de que la podían oír. Y después de tantas visiones alrededor de La Fuente de las que había sido testiga, sabía cómo está también terminaría, así que extendió la fábula sobre una página, como las otras.

*

Hasta que sus ojos se toparon con los del niño moreno corriendo del hombre sin rostro con sus monedas tintineantes en el bolsillo, no pensaba que nadie se había enterado de que ella estaba allá arriba. Sólo tenía acceso a su propio patio justo afuera de la puerta de enfrente. Milagrosamente, el periódico local llegaba cada mañana hasta su puerta, veía al sol brillar sobre las suculentas que adornaban el sendero vacío y que alumbraba los verdes arbustos en la villa de los artistas, pero nunca se enteró cómo había quedado atrapada o como descender por la única ventana. Aunque estaba en el segundo piso, era de una altura poco común y aún así los sonidos llegaban hasta ella con claridad, algunas veces lasti- mosamente amplificados, otras veces en susurros espectrales.

Una vez que cerraron el agua de La Fuente, algo en

ella se sintió aliviada. Sabía que ya no vería más a esas bestias hociconas y a todos los espíritus y a la historia que atormentaba a la ciudad de oro—lo que con frecuencia ocasionaba que dudara de su cordura. Pero también la extrañaba. Extrañaba a los vagabundos que se bañaban en el estanque y a los niños que pasaban sus pequeñas manos por las rociadoras. Anhelaba ver a la gente arrojando sus deseos. Aunque algunos resultados son inevitables, la gente la hacía creer y esperar más.

Así que en ese nuevo día cuando el agua de La Fuente volvió a brotar, ella sabía lo que se acercaba, a ella le correspondía separar las realidades de las vidas pasadas de la ciudad de oro, sabía que tenía que escribirlo todo para dejar que la gente decidiera lo que era verdad.

Sarah Rafael García

Sobre la Autora

Desarrollado a través de un año de residencia en el CSUF Grand Central Art Center, *Cuentos de SanTana* es una instalación de arte visual, historia oral, proyecto narrativo iniciado por la artista y autora Sarah Rafael García. El proyecto integra narrativas basadas en la comunidad para crear cuentos de hadas contemporáneos y fábulas que representan la historia y las historias de residentes mexicanos y mexicano-americanos de Santa Ana (inspirados en los Cuentos de Grimms).

La instalación multi-media, creada por la artista en colaboración con artistas locales visuales, musicales y de performance, presenta zines bilingües de una sola historia, un libro publicado totalmente ilustrado, un libro electrónico y un libro clásico de gran formato con arte gráfico de Carla Zarate, de Sol Art Radio. Gloria Estrada, de Viento Callejero, en colaboración con la cantante y compositora local Ruby Castellanos crean una representacion de "libro abierto" para el projecto con la participacion de miembros de la Sinfónica del Pacífico. Toda la colección fue traducida por la poeta Julieta Corpus y publicada en colaboración con Raspa Magazine. Los archivos digitales del proyecto fueron investigados y obtenidos por Mariana Bruno, estudiante licenciada de CSUF en el Departamento de Historia. El libro electronico está producido por Digitus Indie Publishers.

Sarah Rafael García es escritora, educadora comunitaria y viajera. Desde que publicó Las Niñas en 2008, fundó a Barrio Writers y LibroMobile. Su escritura ha aparecido en *LATINO Magazine, Contrapuntos III, Outrage: A Protest Anthology For Injustice in a Post 9/11 World, La Tolteca Zine, The Acentos Review*, entre otros. En 2010, el Senador Lou Correa honró a la artista con el premio "Mujeres que Hacen una Diferencia" y en 2011 fue honrada por "Contribuciones Destacadas a la Educación" por el Departamento de Educación del Condado de Orange en California. Sarah Rafael es también miembro de Macondo y editora de las antologías de los escritores de *Barrio Writers* y *pariahs*. Obtuvo una M.F.A. en la escritura creativa con un cognado en los estudios de los medios en mayo de 2015.

Los *Cuentos de SanTana* fueron apoyados en parte por la fundación de Andy Warhol para las artes visuales, con una concesión que apoya la iniciativa del artista-en-residencia en el Grand Central Art Center.

CPSIA information can be obtained
at www.ICGtesting.com
Printed in the USA
FSOW03n1209180118
43543FS